SCRAP

金謎

KIN
NAZO

まえがき

　この本は、SCRAPの「エニグマくんLINE」で、エニグマくんが出したたくさんの「宿題」を集めたものです。
　暗号の世界の王子さまであるエニグマくんは、宿題がいつも「**謎**」です。
　えらい人になるには、謎解き力が必要とパパに言われているので、エニグマくんはLINEでみんなの力を借りながら、毎回宿題を解いているのです。
　この宿題の謎には、簡単なものから難しいものまでさまざまな種類があり、1つ1つはまさに「**金**」のごとく光り輝いています。
　また、LINEで出題された謎だけではなく、この本のために作られた新作もありますし、全部解いたら挑戦できる「最終問題」に挑むこともできます。
　1人で解いても、みんなでわいわい言いながら解いても楽しいと思います。
　エニグマくんと一緒に、楽しく謎のお勉強をしていきましょう！

もくじ

エニグマくん

SCRAPのオリジナルキャラクター。めんどくさがりで少し頼りない「暗号王国」のぼんやり王子。しかし見た目や雰囲気がかわいいので国民たちに愛されている。暗号は解くのも作るのも苦手で、解き明かしたと思えばだいたいカンニングか家来の助けによるもの。好きなものはマンゴー、嫌いなものは暗号。

この本の遊び方

この本の問題は、どこからでも解くことができます。
ただし最終問題（P.128）は、すべての問題を解いてからチャレンジしてください。

必要なもの

筆記用具

書いたり消したりできるものがおすすめ。

スマホ・ハサミ・のり

最終問題（P.128）を解くときのみ必要です。

ページの見方

難易度 5段階で記しています。

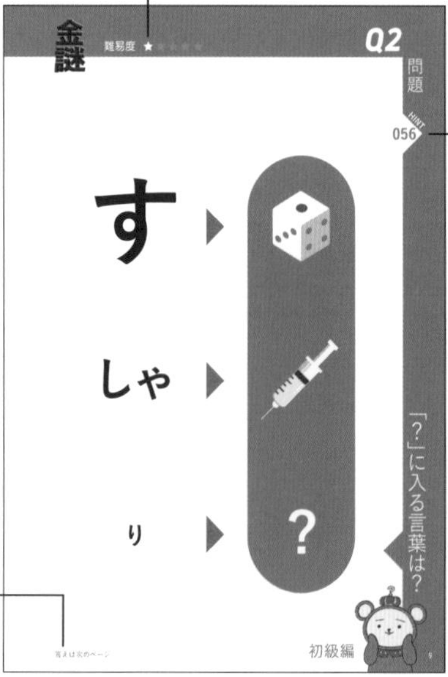

ヒント
ヒント編（P.115～）の該当する数字に、そのヒントが書かれています。どうしても解けない場合に参照してください。

答え
次のページに記しています。

分からなかったらすぐに答えを見ないで、ヒントを参照しつつ考えるとより楽しめます。

初級編

まずは簡単な問題から始めていきましょう。
簡単とはいっても、ひらめきは必要です。
問題を多く解けば解くほど、
ひらめき力は養われていきますよ！

難易度 ★

Q1 問題

HINT 020

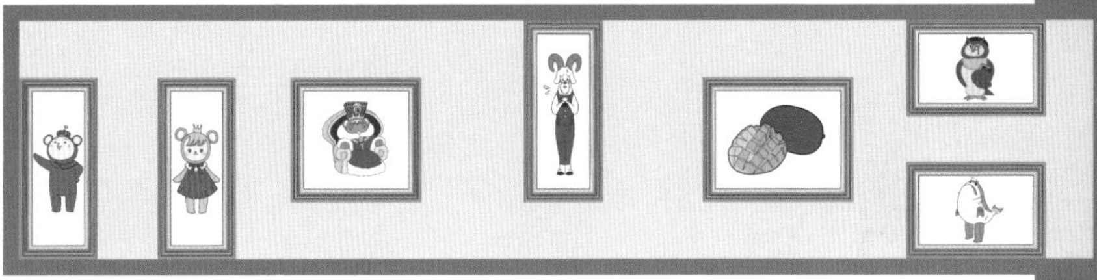

① ② ③ ④ ⑤

答えの言葉は？

答えは次のページ

A1

解説

絵が展示されている灰色の壁を数字に合わせて区切ると、アルファベットが隠れていることが分かる。①〜⑤の文字を読むと、答えは「TOUCH」。

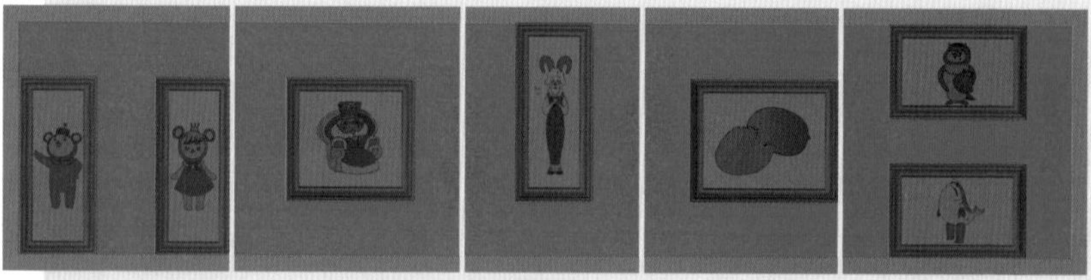

①	②	③	④	⑤
T	O	U	C	H

答え

TOUCH

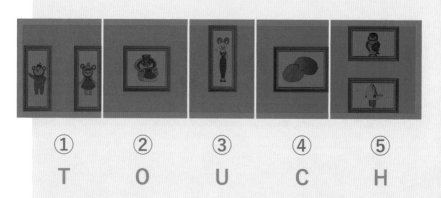

難易度 ★☆☆☆☆

Q2

問題

HINT 056

す ▶ 

しゃ ▶ 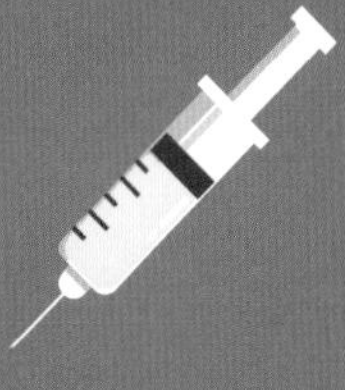

り ▶ ?

「?」に入る言葉は?

答えは次のページ

A2

解説

左の文字はサイズが大・中・小になっており、文字サイズと読みを組み合わせると右の絵になっている。従って「?」は「しょうり」。

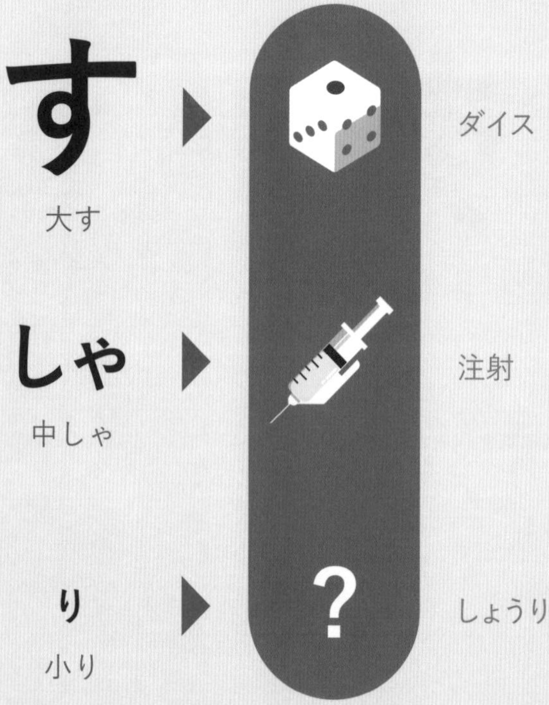

答え

しょうり
（勝利）

Q3
問題

HINT 033

このしゅくだいは①ん
もじのこたえがでてく
る①。い③のつうじる
ぶんし①うになる①う
にそれぞれの②うじに
あてはまるもじをはん
だんしたあとにといて

答えは①②③の言葉

答えの言葉は？

答えは次のページ

A3

解説

文章の流れから推測して、①②③に文字を入れると「よすみ（四隅）」となる。文章の四隅の文字を拾い正しく並べた「こんだて」が答え。

このしゅくだいは①《よ》ん
もじのこたえがでてく
る①《よ》。い③《み》のつうじる
ぶんし①《よ》うになる①《よ》う
にそれぞれの②《す》うじに
あてはまるもじをはん
だんしたあとにといて

答えは①②③《よすみ》の言葉

答え

こんだて
（献立）

Q4

問題

HINT 085

はいち

↓ ↓

ひじゅう

↓ ↓↓

ふせん

のとき

みまん

↓ ↑

?

「?」に入る言葉は？

答えは次のページ

A4

解説

↓は五十音順の次の文字、↓は数字の次の桁の単位に変える。
この法則に当てはめると「み → む」「まん ← せん」となる。

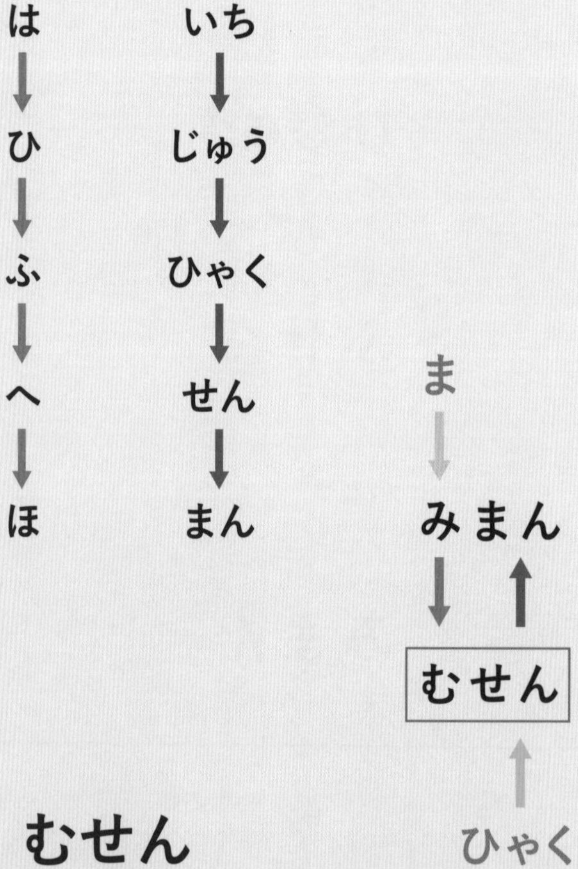

答え

むせん
（無線）

HINT 028

「?」に入る言葉は?

▶ ART

▶ EAR

▶ ?

答えは次のページ

A5

解説

左の絵を英語にすると、右側の文字は左の単語から最初と最後の文字を取ったものであることが分かる。従って答えは「ONE」となる。

EARTH

▶ ART

HEART

▶ EAR

MONEY

▶ ONE

答え

ONE

Q6 問題

「?」に入る言葉は?

HINT 119

家

措置

↓

歌

布

今朝

↓

?

答えは次のページ

A6

解説

家→「いえ」、措置→「そち」とかなに変換し、五十音順で間の文字を拾うと「うた」になる。同様に、布→「ぬの」、今朝→「けさ」の間の文字を拾うと、答えは「ねこ」。

家

いうえ

措置

そたち

▼

歌

うた

布

ぬねの

今朝

けこさ

▼

猫

ねこ

答え

ねこ

（猫）

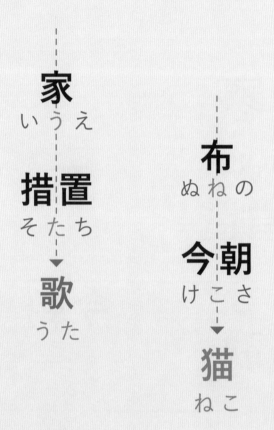

難易度 ★★☆☆☆

Q7 問題

HINT 084

 ＋  ＝③○○○④

 ＋ 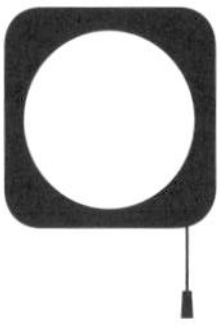 ＝○○○①○

 ＋  ＝○○○②○

答えの言葉は？

答え＝①②③④

答えは次のページ

A7

解説

左の図形を右の図形に当てはめると、それぞれ機械が完成する。空欄に機械の名称を当てはめると、答えは「せいせき」となる。

せんぷうき
＝③○○○④

かんきせん
＝○○○①○

しつがいき
＝○○○②○

▼

せいせき
答え＝①②③④

答え

せいせき
（成績）

Q8

問題

HINT 050

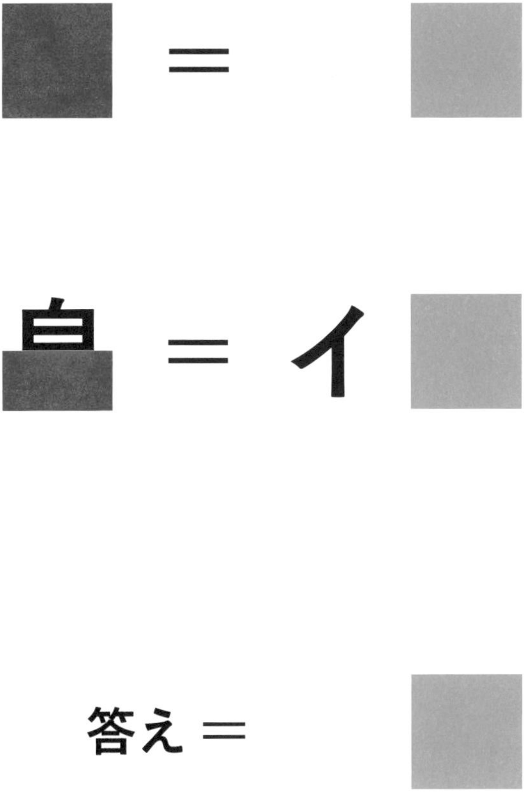

答えの言葉は？

答えは次のページ

A8

解説

「白」が入り「イ」から始まる読みを持つ漢字を考えると、赤いマスには「水」が入ることが分かる。法則に従ってマスを埋めると、答えは「ミズ」となる。

水 ＝ ミ ズ

泉 ＝ イ ズ ミ

答え＝ ミ ズ

答え

ミズ

Q9 問題

HINT 087

答えの言葉は？

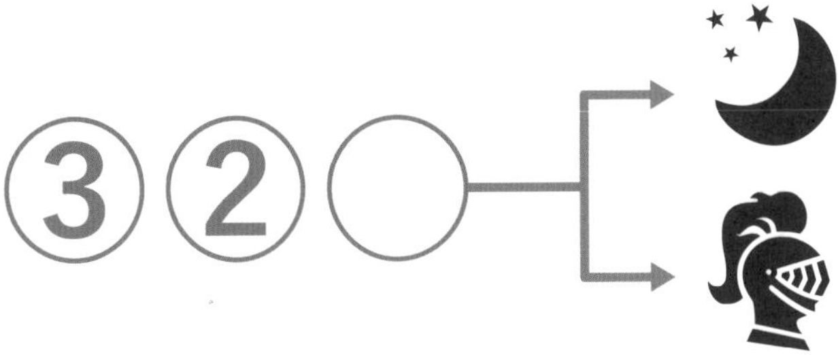

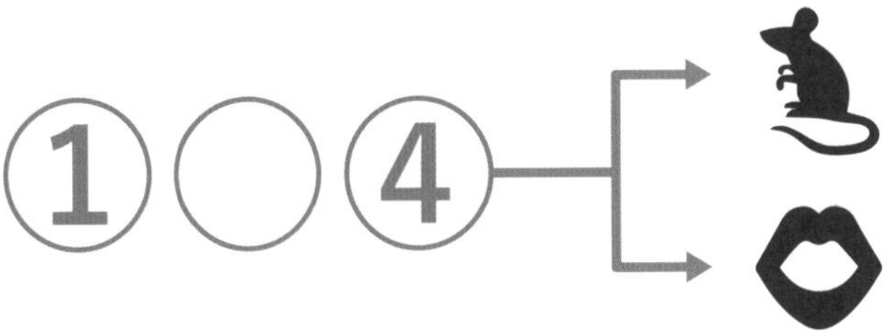

答え＝①②③④

A9

解説

右のイラストを英語にすると、日本語ではどちらも同じ読み方になる。それぞれの読み方を空欄に当てはめると、答えは「マイナス」となる。

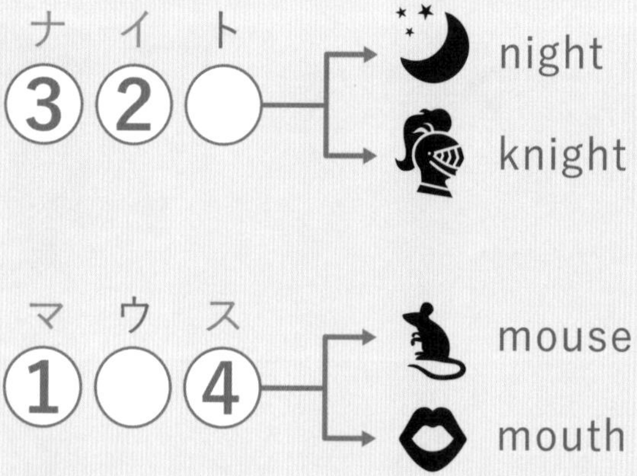

答え＝①《マ》②《イ》③《ナ》④《ス》

答え

マイナス

「?」に入る言葉は?

RE × YE ＝ OR

RE × WH ＝ PI

RE × BL ＝ PU

のとき

BL × YE ＝ ?

答えは次のページ

A10

解説

それぞれのアルファベットは色の名前を表しており、右は左の2色を混ぜてできる色になっている。青×黄=緑なので、答えは「GR」もしくは「GREEN」。

RED　YELLOW　ORANGE

RE × YE ＝ OR

RED　WHITE　PINK

RE × WH ＝ PI

RED　BLUE　PURPLE

RE × BL ＝ PU

のとき

BLUE　YELLOW　GREEN

BL × YE ＝ GR

答え

GR もしくは GREEN

難易度 ★★☆☆☆

Q11 問題

HINT 088

答えの言葉は？

答えは次のページ

A11

解説

それぞれの輪の足りない線を補うと、補った線がひらがなの「あにめ」と読める。

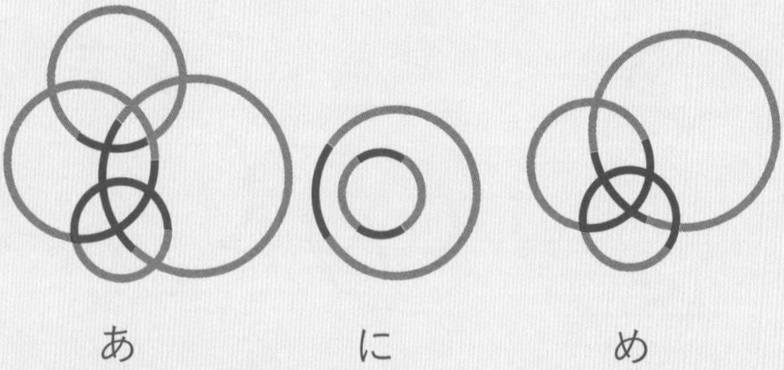

答え

あにめ

Q12

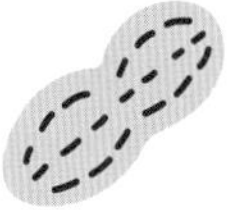 ▶ から

のとき

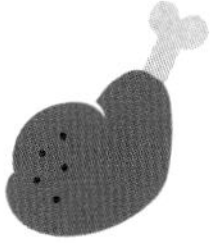 ▶ ①ね

 ▶ ②わ

 ▶ し③

答え＝①②③

答えの言葉は？

答えは次のページ

A12

解説

右側の言葉は、左のものを食べたり使ったりした後に残るものを表している。法則にしたがって数字に文字を当てはめていくと、答えは「ほかん」となる。

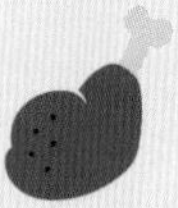 ▶ ①《ほ》ね

 ▶ ②《か》わ

 ▶ し③《ん》

答え＝①《ほ》②《か》③《ん》

答え

ほかん
（保管）

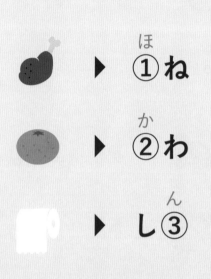

難易度 ★★☆☆☆

Q13

HINT 015

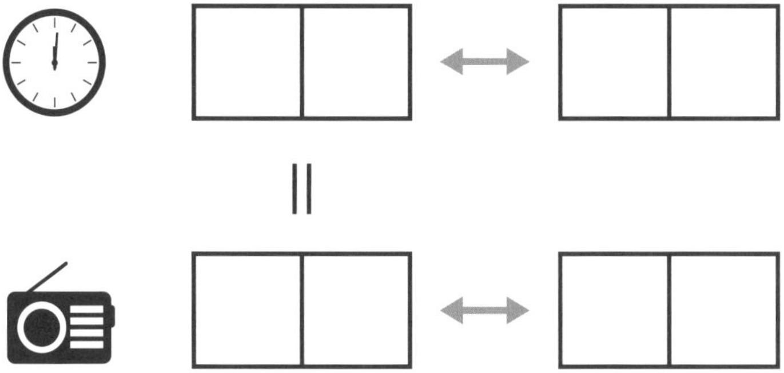

答え

答えの言葉は?

答えは次のページ

A13

解説

時計とラジオで共通する2文字の言葉は「AM」。それに対する言葉をそれぞれ右の空欄に当てはめると、答えは「FM」となる。

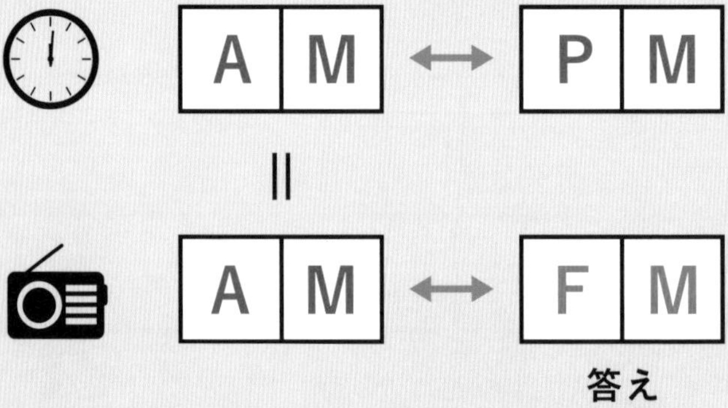

答え

F M

難易度 ★★☆☆☆

Q14

HINT 107

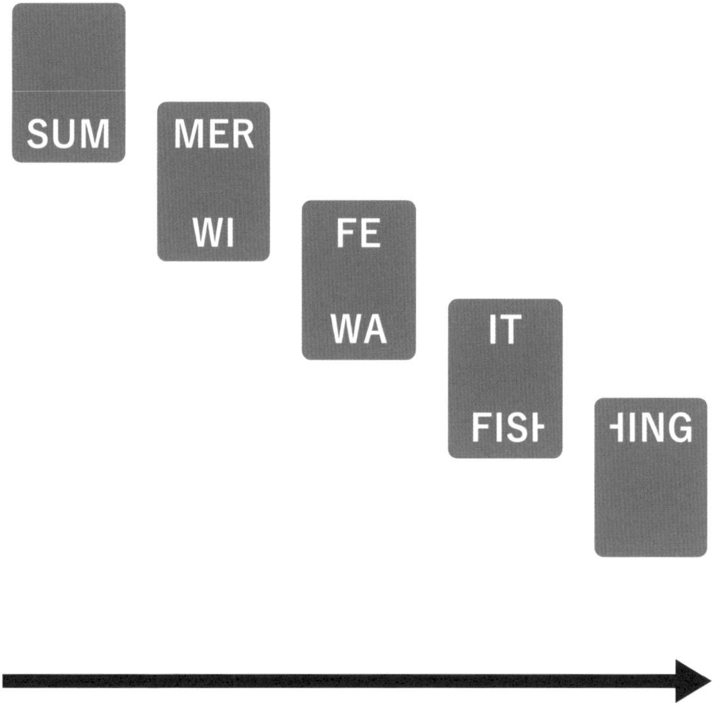

答えの言葉は？

答えは次のページ

A14

解説

それぞれの英単語を2文字の日本語に変換すると、共通する文字が枠で囲われていることが分かる。矢印の通りにつなげて読むと、答えは「なつまつり」。

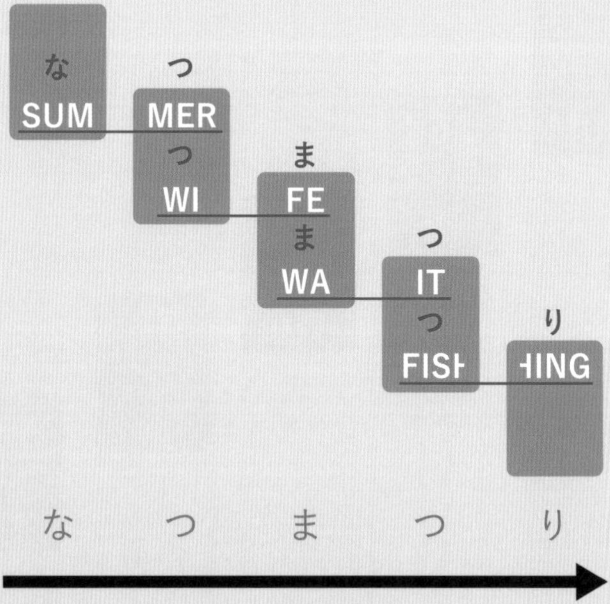

答え

なつまつり
（夏祭り）

HINT 108

①〜③の中で測定できるものは？

答えは次のページ

A15

解説

ドの位置に「力（ちから）」があるので、①は「どりょく」、②は「みりょく」③は「しりょく」と読むことができる。測定できるものは、「③」の視力。

答え

③（視力は測定できる）

難易度 ★★★★★

Q16

問題

HINT 011

「?」に入る言葉は?

答えは次のページ

A16

解説

AND⟷DNA、DOG⟷GODといったように、イラストを英語に変換すると、お互い逆から読む関係になっている。一番下の左のイラストを英語に変換すると「POT」なので「TOP」が答え。

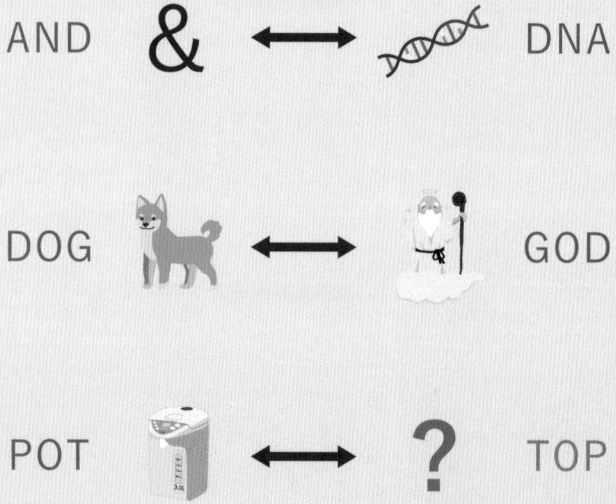

答え

TOP

1時間で草は伸びて、ロウソクは溶ける。

1時間後の赤を読め。

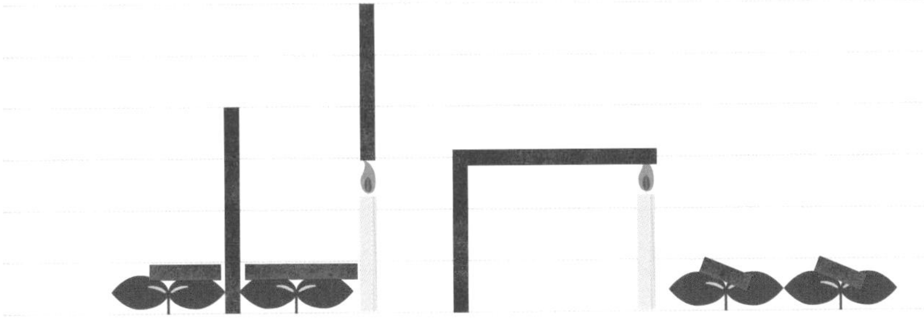

答えの言葉は？

A17

解説

1時間後、草が伸びてロウソクが溶けると、下の図のようになる。赤い部分を読むと「カベ」となる。

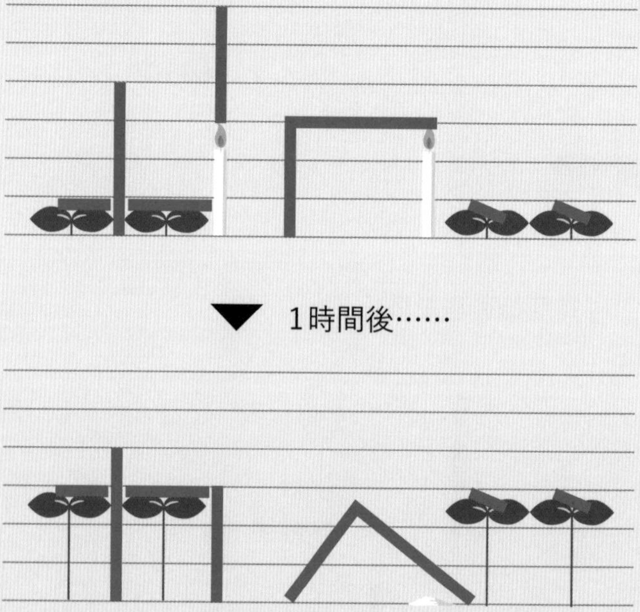

答え

カベ（壁）

中級編

だんだんと難しくなっていきます。
でも、初級編で慣れていれば、
解くことは難しくないかも……？
いろんな角度で考えて、
ひらめきを呼び寄せてください！

②①○○○○

▼

○○③④○○

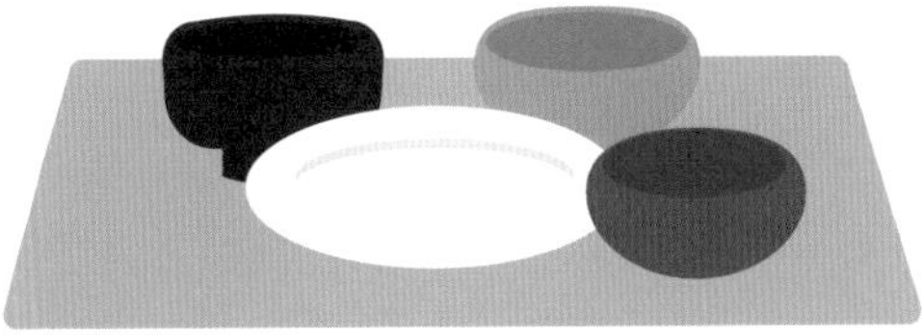

答え＝①②③④

答えの言葉は？

A18

解説

上と下の空欄は、それぞれの絵に対する「あいさつの言葉」を表している。「いただきます」と「ごちそうさま」を空欄に入れると、答えは「たいそう」となる。

い た だ き ま す
②①○○○○

▼

ご ち そ う さ ま
○○③④○○

た い そ う
答え＝①②③④

答え

たいそう（体操）

Q19

問題

HINT 006

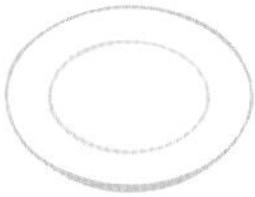 ▶ 

 ▶ 

 ▶ 

のとき

9 ▶ ?

「?」に入る言葉は？

答えは次のページ

A19

解説

イラストを漢字に置き換えると、左の字に一画足したものが右の字になっていることが分かる。「九」に一画足すと「丸」なので、答えは「丸」。

答え

丸

① ク ラ

② ク ラ

③ ク ラ

答え＝①②ラ③

答えの言葉は？

答えは次のページ

A20

解説

ヒントは文字の色。緑色で「◯クラ」と言えば、オクラ。同じように空欄を埋めていくと、サクラ、イクラとなり、答えは「オサライ」。

① クラ ▶ オクラ

② クラ ▶ サクラ

③ クラ ▶ イクラ

答え＝①《オ》②《サ》ラ③《イ》

答え

オサライ

Q21 問題

HINT 044

朝日と公園 ----→ 砂糖

唯一の推理 ----→ 椅子

沼の方向で ----→ ？

「？」に入る言葉は？

答えは次のページ

A21

解説

左の言葉はどれも8文字で、真ん中の矢印も8ブロックでできていることに着目。矢印が途切れているところは文字を拾う場所を指している。従って答えは「まほう（魔法）」。

朝日と公園《あさひとこうえん》 - - - - - - - -→ 砂糖《さとう》

唯一の推理《ゆいいつのすいり》 - - - - - - - -→ 椅子《いす》

沼の方向で《ぬまのほうこうで》 - - - - - - - -→ ？《まほう》

答え

まほう
（魔法）

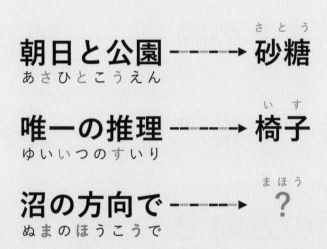

難易度 ★★★☆☆

Q22 問題

HINT 072

「?」に入る言葉は?

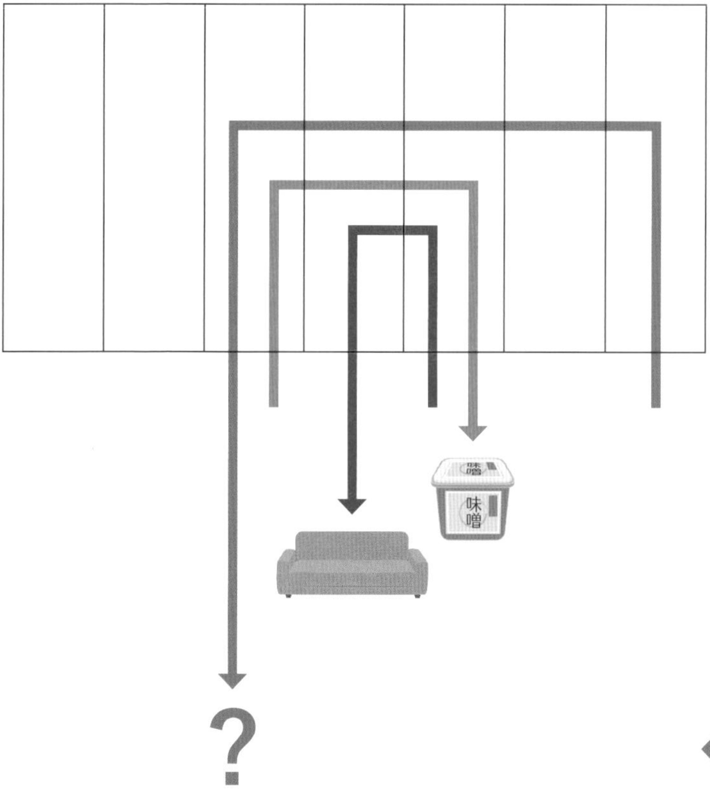

答えは次のページ

A22

解説

7つの枠は音階（ピアノの白鍵）を表し、矢印が「ミ」「ソ」を通るイラストは「みそ」、「ソ」「ファ」を通るイラストは「ソファ」となっている。同様に「シ」と「ミ」を通るので、答えは「シミ」。

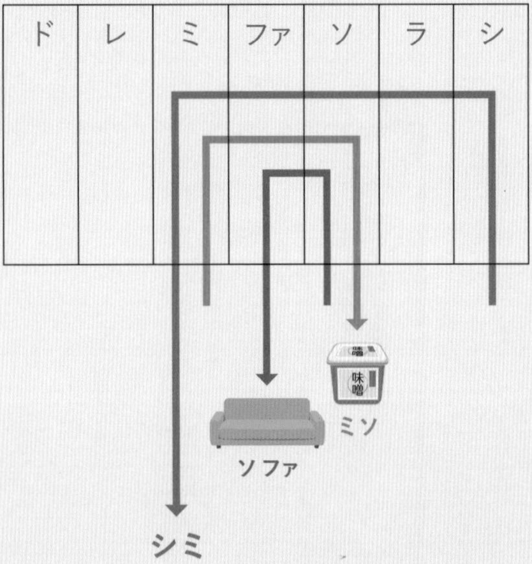

答え

シミ

お家で遊べる！

リアル脱出ゲーム

Created by SCRAP

公式サイト
https://www.scrapmagazine.com/online-event2020/

SCRAPが発信する、オンラインで楽しめるイベント＆グッズをご紹介します！
あなたの好みにあった、オンラインイベントを探そう！

※ゲーム・イベントの情報は2020年5月15日時点の情報です。
※リアル脱出ゲームは株式会社SCRAPの登録商標です。

エイリアン研究所からの脱出 リモートver.

あなたの通信で作戦を実行し、エイリアンを殲滅せよ！

制限時間：60分
参加人数：最大7人
開催期間：5月1日（日）～

リモートエイリアン研究所

人狼村からの脱出 リモートver.

狼を見つけないと、殺される

制限時間：60分
参加人数：最大6人
開催期間：4月29日（水）～

リモート人狼脱出

リモート通信脱出ゲーム

ある2つの通信基地からの脱出

遠く離れた２人の協力で謎を解け！

制限時間：無し
参加人数：2人ペア
開催期間：5月1日（金）～

リモート通信脱出

Mystery for You ―毎月届く、あなたのためだけの謎―

あなたのためにセレクトした謎や物語を、ポストにお届けする「謎」の定期便。

制限時間：無し
参加人数：無し
最新情報が受け取れるメール登録受付中！

サブスク謎

謎解き推理BOX

魔法探偵と不思議な宝石

謎を解き、魔法を使って事件の真相をつきとめろ！

制限時間：無し
参加人数：1人
開催期間：4月29日（水）～

謎解き推理BOX

くまっキーと過去からの不思議な手紙 おうちVer.

一年前から届いた届いた手紙に書かれていたのは、謎。

制限時間：無し
参加人数：1人
開催期間：5月15日（金）～

くまっキーおうちMMB

リアル間違い探し オンライン

劇を見て、間違いを探し出せ

制限時間：無し
参加人数：1人（個人戦）
開催期間：5月5日（火）～

リアル間違い探し オンライン

MYSTERY TIME

※画像は赤色＆紺色のセット

ナゾトキレターセット

～あなたの想いに遊び心を乗せて～

制限時間：無し
参加人数：無し
開催期間：5月1日（金）～

ナゾトキレターセット

ナゾトキ街歩きゲーム

街歩きイベントも開催中！

吉祥寺謎解き街歩き

路地の先には、あなたの知らない「好き」がある

制限時間：無し
参加人数：無し
開催期間：2020年3月18日（水）～

吉祥寺謎

HINT 070

「？」に入る言葉は？

□ ＝ ②○○

▷ ＝ ○③○○

▷▷ ＝ ○○①○○

①－②゛③①＝？

答えは次のページ

A23

解説

3つの記号は、オーディオ機器などで見られる「停止」「再生」「早送り」を表している。数字に対応する文字を拾い、答えは「おーでぃお」。

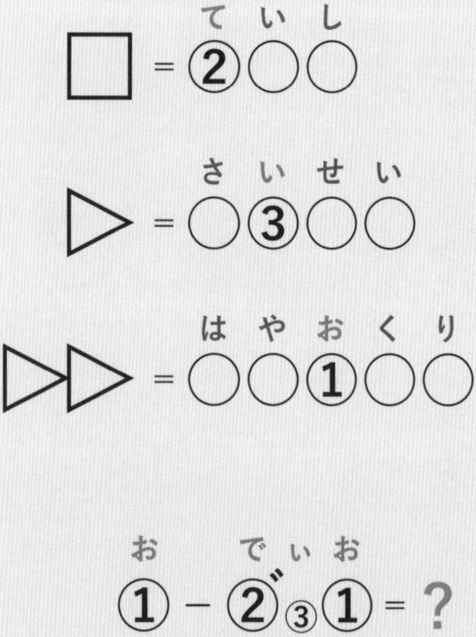

答え

オーディオ

Q24

問題

HINT 062

「？」に入るイラストの言葉は？

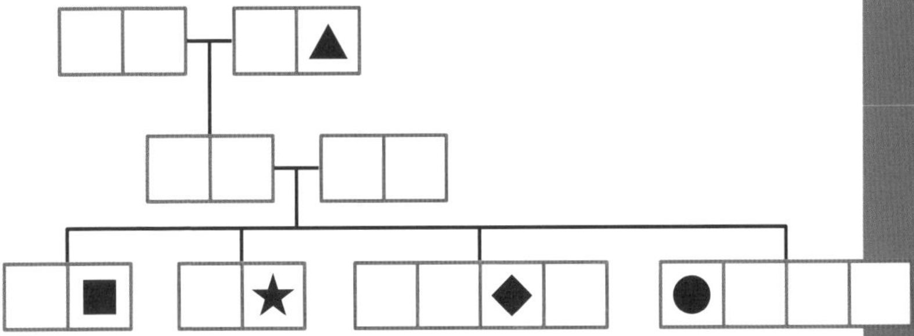

答えは次のページ

A24

解説

●■が「おに」であることから、この図が家系図であることが分かる。紫枠に男性、赤枠に女性を入れると、★▲◆には「ねぼう」が入る。

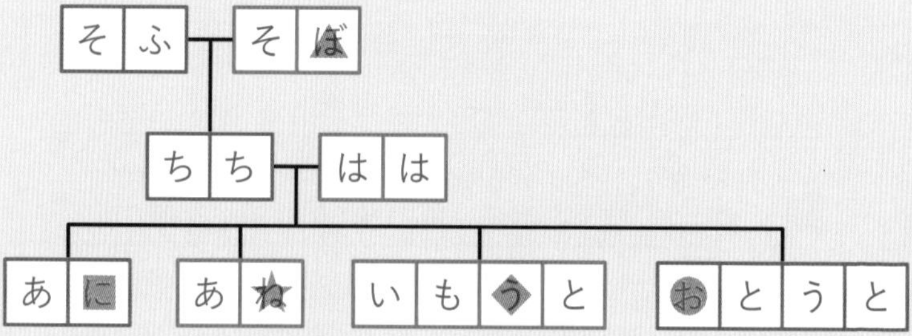

答え

ねぼう
（寝坊）

難易度 ★★★☆☆

Q25 問題

HINT 049

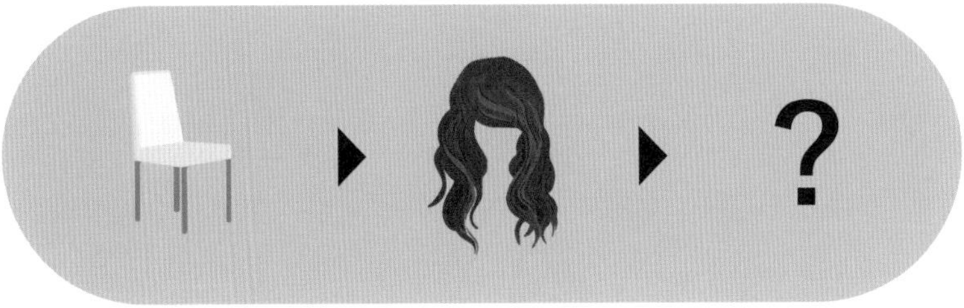

「?」に入るイラストの言葉は?

答えは次のページ

A25

解説

イラストを英語に置き換えると、左から順に頭文字が1文字ずつ取られていることが分かる。法則に従って考えると、答えは「AIR」となる。

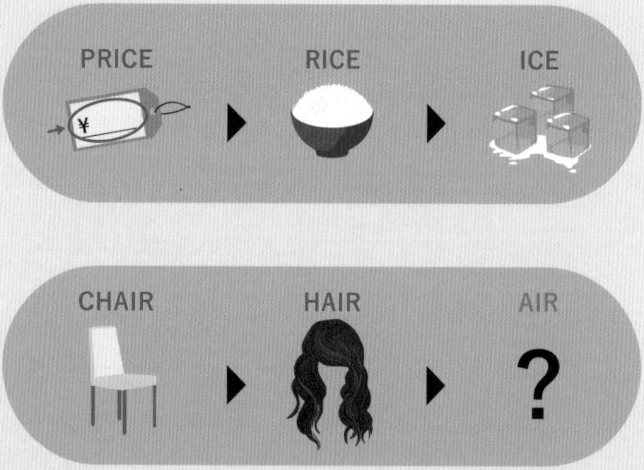

答え

AIR

Q26 問題

HINT 047

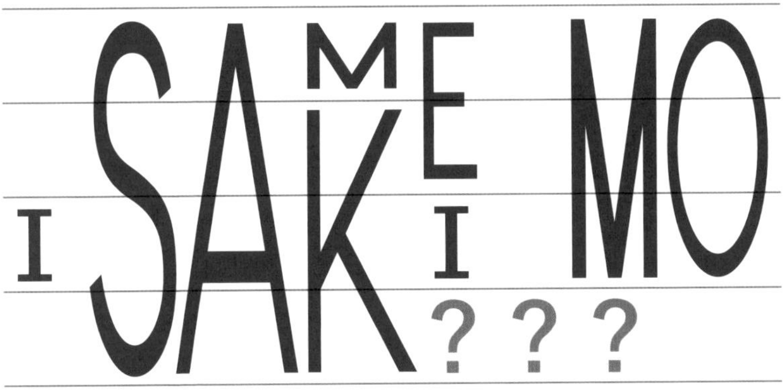

「???」に入る言葉は?

答えは次のページ

A26

解説

縦に伸びた文字は複数行にわたってあるものとして横に読むと、「サメもサケもイサキもSAK？？？」。文章の意味を考えると「SAK？？？」は「SAKANA（魚）」となる。よって答えは「ANA（あな）」。

答え

ANA
（あな）

Q27

問題

HINT 067

「?」に入る言葉は?

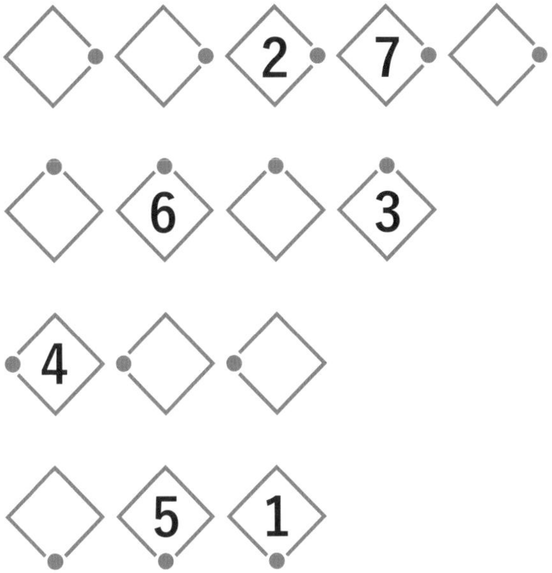

123＝ムード

のとき

4567＝?

答えは次のページ

A27

解説

マス目と点は野球の各ベースを表している。点の位置に応じたベースの名前を埋めていくと、答えは「サーカス」となる。

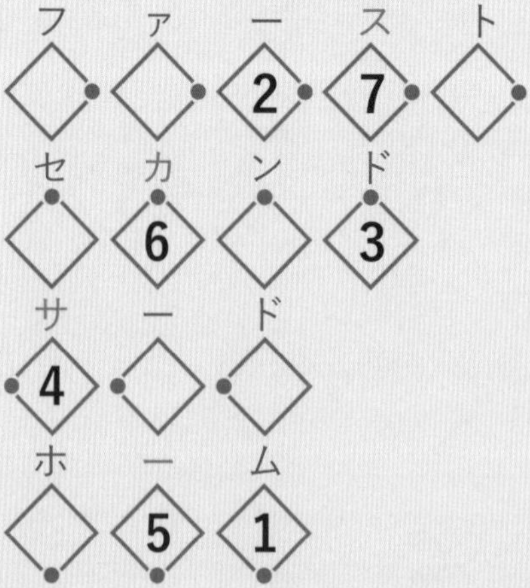

123＝ムード

のとき

4《サ》5《ー》6《カ》7《ス》＝？

答え

サーカス

問題

HINT 104

空欄に入るのは下の4つのうちどれ？

彼は、馬が＊＊ている
絵画を壁に＊＊た。
そして友人へ
［　　　　］を＊＊た。

ボール	プレゼント
本	電話

答えは次のページ

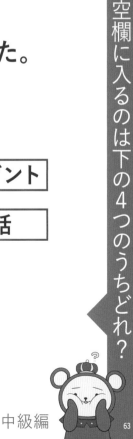

A28

解説

上の2行の＊＊に「かけ」の文字を入れると文章が成立する。
一番下の行で「かけ」られるものは、選択肢の中では「電話」。

駆《か》け

彼は、馬が＊＊ている

掛《か》け

絵画を壁に＊＊た。

そして友人へ

かけ

電話 **を＊＊た。**

答え

電話

Q29

HINT 075

ヒ	ガ
ツ	ヘ

チ	ラ
レ	ホ

メ	ノ
ネ	ミ

フ	キ
ガ	コ

3 3 1 2 ＝ツチノコ

のとき

2 2 2 3 ＝ ？

「？」に入る言葉は？

答えは次のページ

A29

解説

数字は読むべき文字の画数を示している。左から順に2画・2画・2画・3画のカタカナを拾っていくと「ヒラメキ」となる。

2画	4画
ヒ	ガ
ツ	ヘ
3画	1画

3画	2画
チ	ラ
レ	ホ
1画	4画

2画	1画
メ	ノ
ネ	ミ
4画	3画

1画	3画
フ	キ
ガ	コ
4画	2画

3 3 1 2 ＝ツチノコ

のとき

2 2 2 3 ＝ヒラメキ

答え

ヒラメキ

Q30

問題

HINT 115

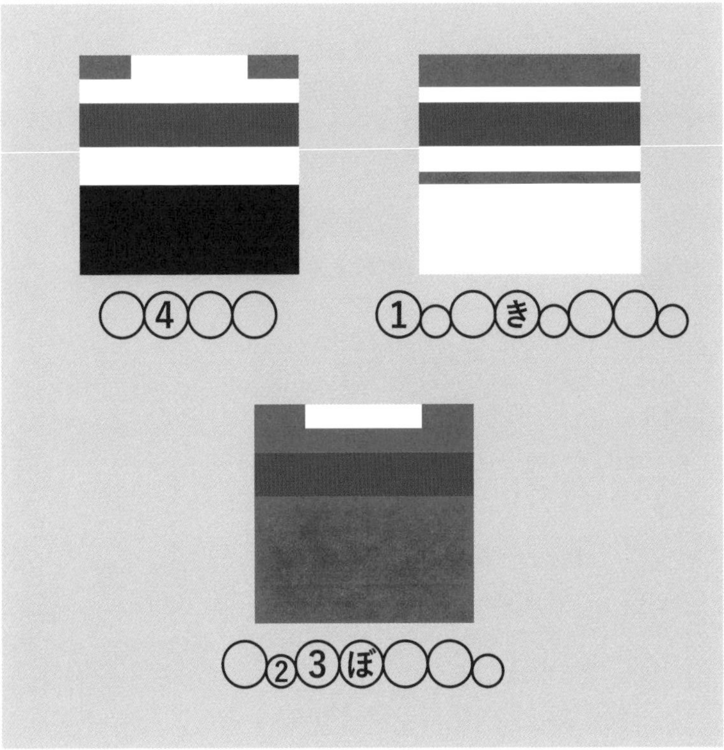

答えの言葉は？

答え＝①②③④

答えは次のページ

A30

解説

図はパトカー、救急車、消防車をそれぞれ正面から見たところを示している。それぞれの空欄に文字を当てはめると、答えは「きょうと」となる。

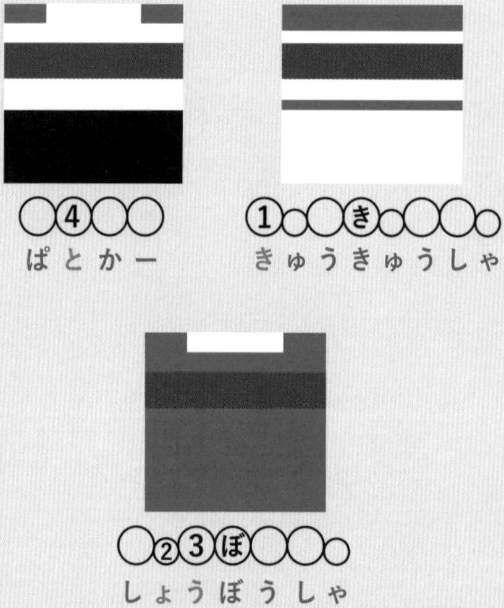

答え＝①《き》②《ょ》③《う》④《と》

答え

きょうと
（京都）

Q31

問題

HINT 013

イ＝○②○゛④

ネ＝③○○①○

答え＝①②③④

答えの言葉は？

答えは次のページ

A31

解説

左のカタカナをそれぞれ漢字の部首として考えると、「にんべん」「しめすへん」になる。数字に対応する文字を順に読んで答えは「へんしん」。

に ん べ ん

イ＝○②○゛④

し め す へ ん

ネ＝③○○①○

へ ん し ん

答え＝①②③④

答え

へんしん

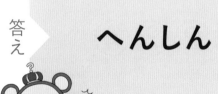

難易度 ★★★☆☆

Q32

問題

HINT 017

4つの言葉にはある法則がある。

へ□せ□

□わ

た□□

め□じ

答え＝□□

答えの言葉は？

答えは次のページ

A32

解説

□に「い」、□に「しょう」を入れると、すべて元号の名前になることが分かる。従って答えは「いしょう」。

へ［い］せ［い］

［しょう］わ

た［い］［しょう］

め［い］じ

答え＝［い］［しょう］

答え

いしょう
（衣装）

Q33 問題

HINT 016

「?」に入る言葉は?

3	5	

			4	1

	6						2

1	2	3

= スズメ

のとき

4	5	6

= ?

答えは次のページ

A33

解説

イラストはそれぞれ目につけるものを表しており、上からメガネ、サングラス、コンタクトレンズが入る。数字を当てはめると、答えは「ラガン」となる。

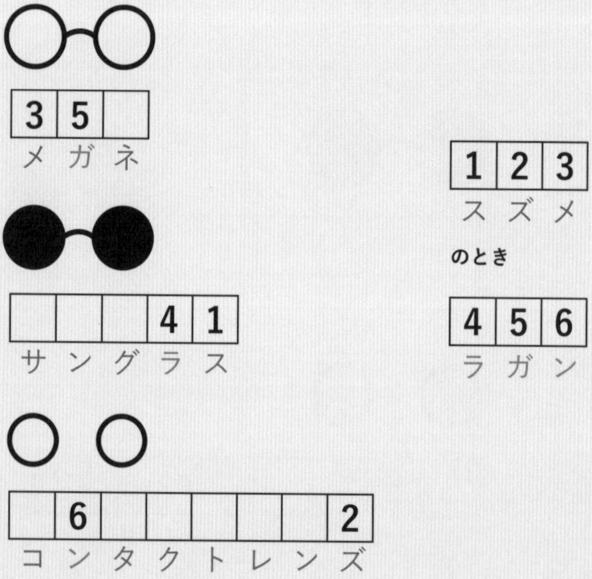

答え

ラガン

（裸眼）

条件

**A駅を出発して
B駅まで行け。
ただし乗り換えは
3回まで。**

迷路を解け。

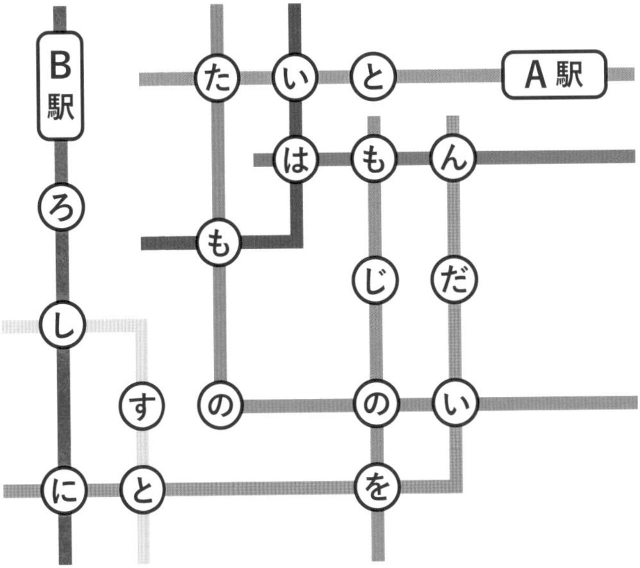

答えの言葉は？

A34

解説

迷路を解くと「といたもののいをとにしろ」と読める。「解いたもの」は「迷路」なので、「めいろ」の「い」を「と」にして、答えは「めとろ」。

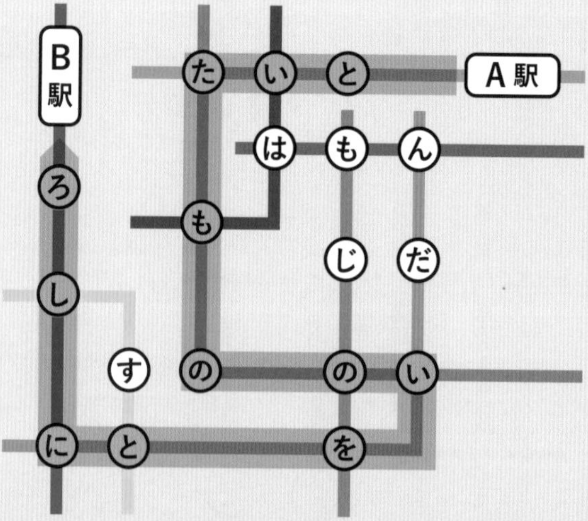

といたもののいをとにしろ

迷路 → めいろ → めとろ

答え

メトロ

上級編

いよいよ上級編です。
一見意味が分からない問題があるかもしれません。
そんなときは頭をやわらかくして、
柔軟に考えてみてくださいね！

難易度 ★★★☆☆

Q35

問題

HINT 029

答えの言葉は？

答え＝①②③

答えは次のページ

A35

解説

それぞれの空欄は、建物の部分の呼び名を表している。当てはめた文字を数字の順に拾うと、「じゆう」となる。

答え＝①《じ》②《ゆ》③《う》

答え

じゆう
（自由）

Q36 問題

HINT 065

マ③ー◯◯◯◯

セ③ー◯◯◯

ヒ②④ー◯◯

①ユウー◯

答え＝①②③④

答えの言葉は？

答えは次のページ

A36

解説

縦棒のように見えるものを「1」、○を「0」として縦に読むと、左から「10」「100」「1000」「10000」。それぞれの桁をカタカナで表し、数字に対応する文字を順に読んで、答えは「ジャンク」。

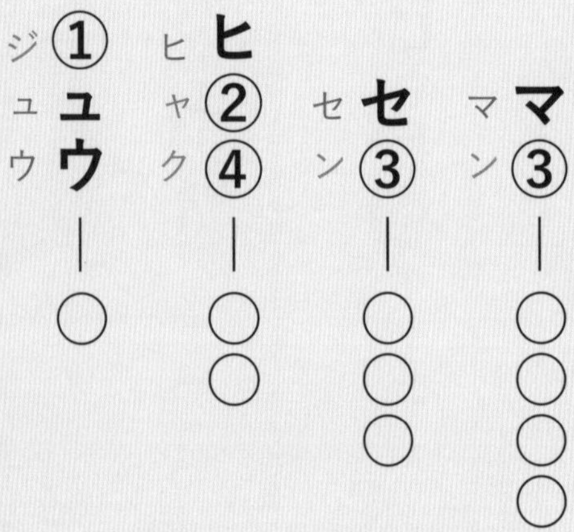

答え＝①《ジ》②《ャ》③《ン》④《ク》

答え

ジャンク

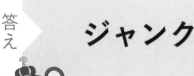

難易度 ★★★☆☆

Q37

HINT 102

横 点火 

糸 命名 

奥 注意 ？

「?」に入る言葉は？

答えは次のページ

A37

解説

矢印の言葉を「○をつける」と言い換えて、左の言葉の頭に○を付けると、右の言葉になるという法則が見つかる。「おく」に「きをつける」と、「きおく」。

横 点火 

「よこ」▶ ひをつける ▶ 「ひよこ」

糸 命名 

「いと」▶ なをつける ▶ 「ないと」

奥 注意 ？

「おく」▶ きをつける ▶ 「きおく」

答え

きおく
（記憶）

Q38

HINT 063

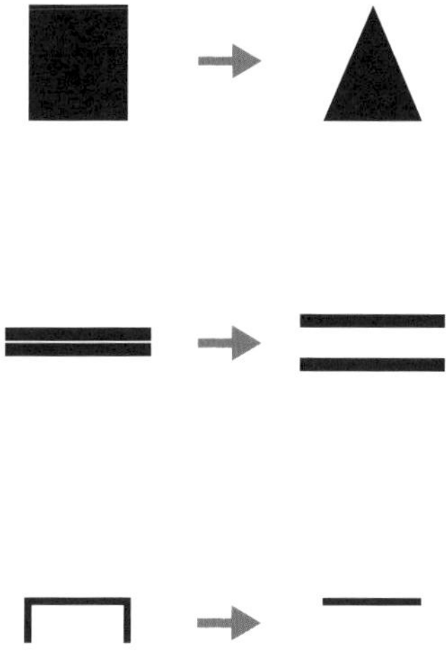

え○○①

わ○②○

ほ○○③○

答え＝①②③

答えの言葉は？

答えは次のページ

A38

解説

矢印の左側は「あるもの」の使う前の形、右側は使うときの形を表している。その法則に基づいて空欄を埋めると、答えは「つばき」となる。

え○《ん》○《ぴ》①《つ》

わ○《り》②《ば》○《し》

ほ○《っ》○《ち》③《き》○《す》

答え＝①《つ》②《ば》③《き》

答え

つばき

（椿）

難易度 ★★★☆☆

Q39

HINT 018

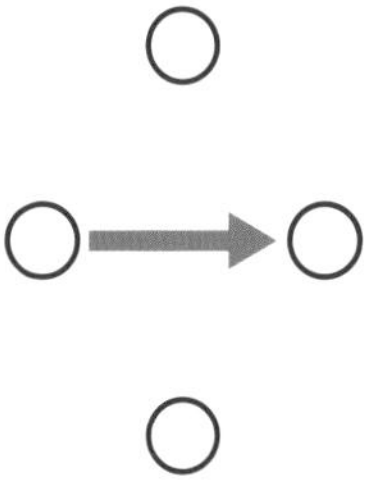

＝私たち

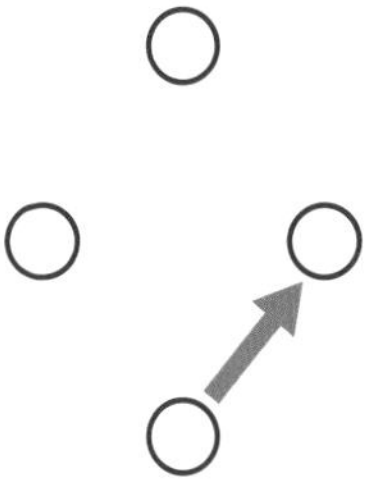

×2 ＝見る

のとき

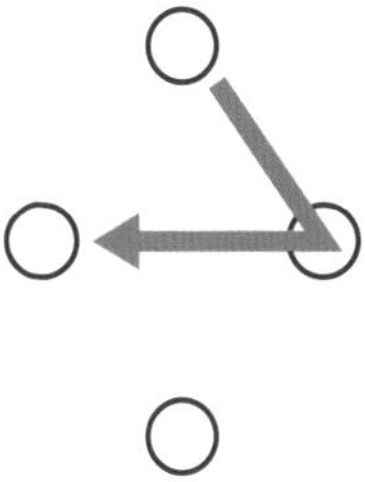

＝ ？

「？」に入る言葉は？

答えは次のページ

A39

解説

図の中の４つの丸は、方角を表している。矢印に沿って文字を拾い、日本語に訳したものが右の言葉となる。従って答えは「NEW（新しい）」。

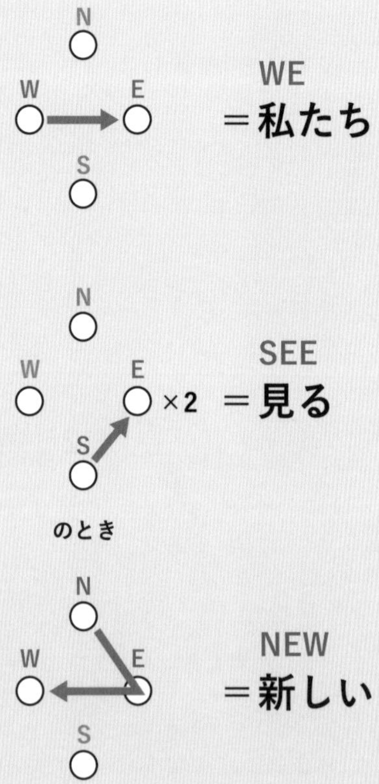

答え

NEW（新しい）

HINT 077

リストの示す７個の言葉を埋めろ。

- ▶絵を描くときに使う
- ▶ライブでよく見る
- ▶パナマ、スエズなどが有名
- ▶食器の1つ
- ▶足に履くもの
- ▶十二星座の1つ
- ▶春の植物

答え＝ 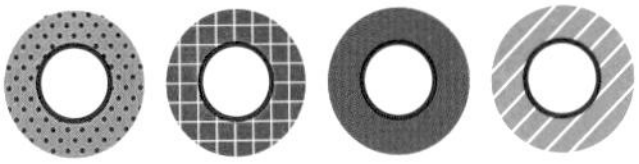

答えの言葉は？

A40

解説

リストにある言葉が当てはまるようにマスに埋め、指定された●●●●の色を順に読むと、答えは「おんどさ」となる。

リストの示す7個の言葉を埋めろ。

- ▶絵を描くときに使う
- ▶ライブでよく見る
- ▶パナマ、スエズなどが有名
- ▶食器の1つ
- ▶足に履くもの
- ▶十二星座の1つ
- ▶春の植物

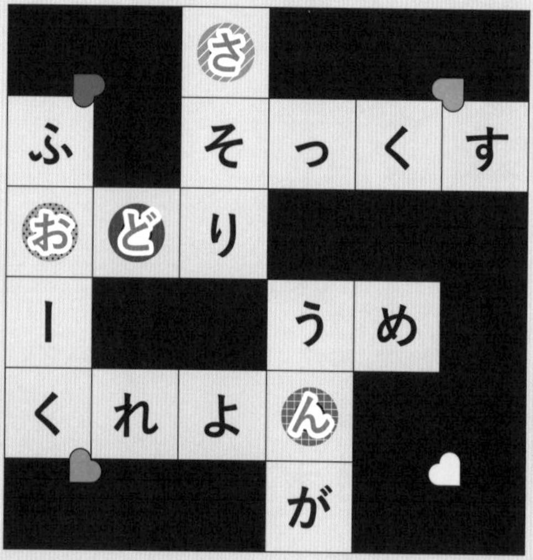

おんどさ

答え＝

答え

おんどさ
（温度差）

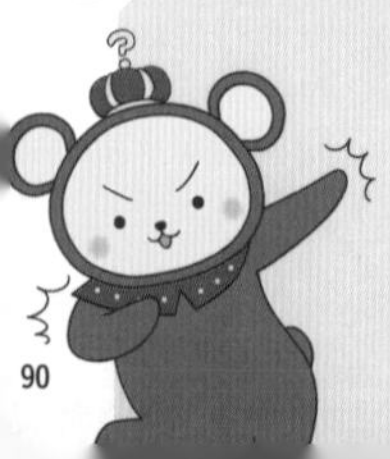

Q41 問題

HINT 014

「?」に入る言葉は?

答えは次のページ

A41

解説

それぞれのイラストは数字の入る四字熟語を表しており、縦に同じ数字が入るように並んでいる。？が裏返しになっていることに注意し、？に入る漢字は「人」となる。

答え

人

HINT 004

 → ☆い□

 → △い□

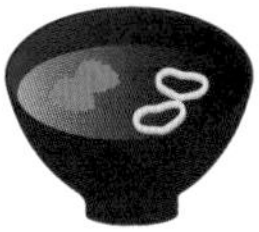 → ○い□

答えの言葉は？

答え＝△○☆（ひらがな）

答えは次のページ

A42

解説

左の絵はすべて「〜い物」という形の単語で言い当てることができる。空欄を埋め、△○☆の順で読むと「洗吸買＝あらすか」となる。

→ ☆《買》い□《物》

→ △《洗》い□《物》

→ ○《吸》い□《物》

答え＝△《あら》○《す》☆《か》

答え

あらすか

難易度 ★★★

Q43

問題

HINT 022

「?」に入るイラストの言葉は?

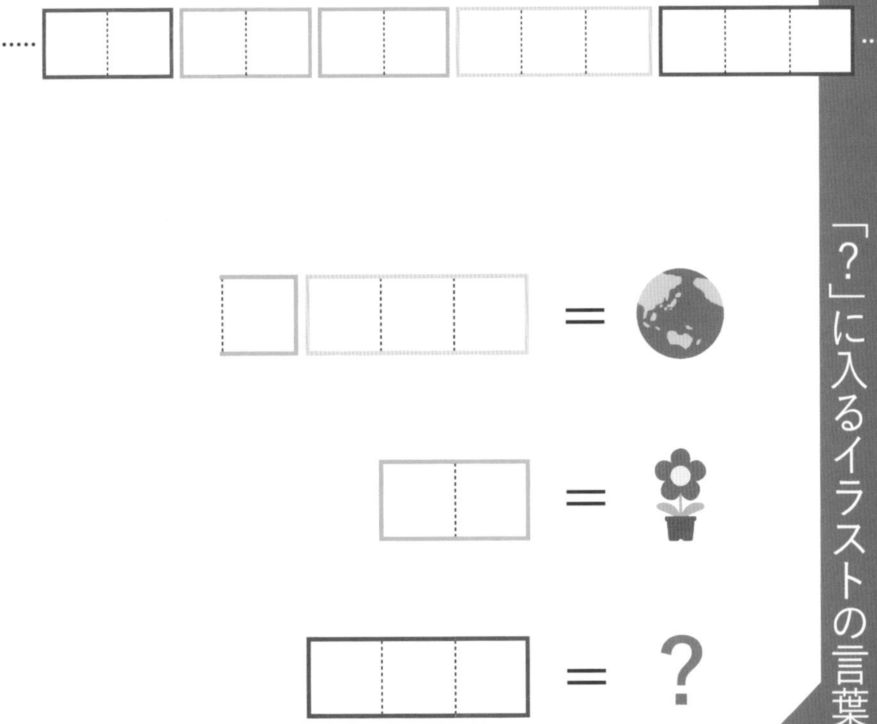

答えは次のページ

A43

解説

「ちきゅう」「はな」をマス目に埋めると、上に並ぶマスが数字を表していることが分かる。法則に従って答えを埋めると、答えは「じゅく」。

……ろく なな はち きゅう じゅう……

ちきゅう ＝ 

はな ＝ 

じゅく ＝ ？

答え

じゅく

（塾）

答えの言葉は？

12シ2 ▶ 3

チ45シ2 ▶ フ2

ビ45シ2 ▶ ビ45

答え＝12345

答えは次のページ

A44

解説

中央の矢印の左は時計の針の名前、右は針が表す時間の単位を表している。従って、数字に対応する文字を読んで、答えは「タンジョウ」となる。

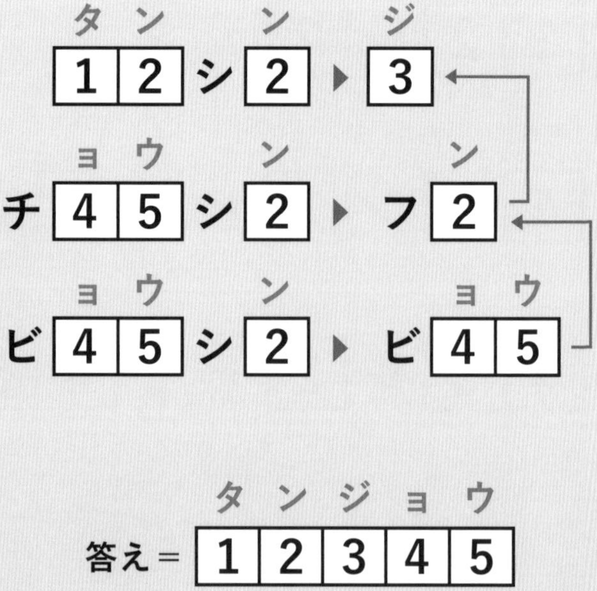

答え

タンジョウ
（誕生）

HINT 081

めざまし
どけい

はとどけい

＝ まと

のとき

ふりこどけい

かいちゅう
どけい

うでどけい

＝ ？

答えの言葉は？

答えは次のページ

A45

解説

それぞれの時計が示す時刻が、名前の何文字目を読むのかを示している。従って答えは「り」「ゅ」「う」となる。

めざましどけい　はとどけい　＝ まと

のとき

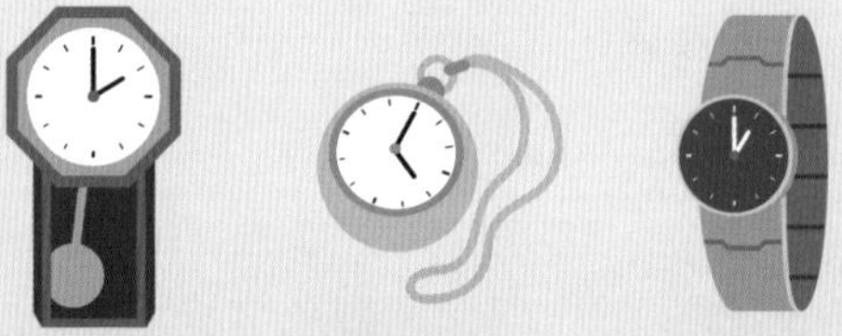

ふりこどけい　かいちゅうどけい　うでどけい　＝ りゅう

答え

りゅう

（龍）

難易度 ★★★★☆

Q46

問題

HINT 073

「？」に入るイラストの言葉は？

A46

解説

えんぴつの数え方は「ほん」、本の数え方は「さつ」、というように、それぞれのイラストは前のイラストの数え方を示している。その法則から「いえ」と「ほん」の間に入るのは「けん」。

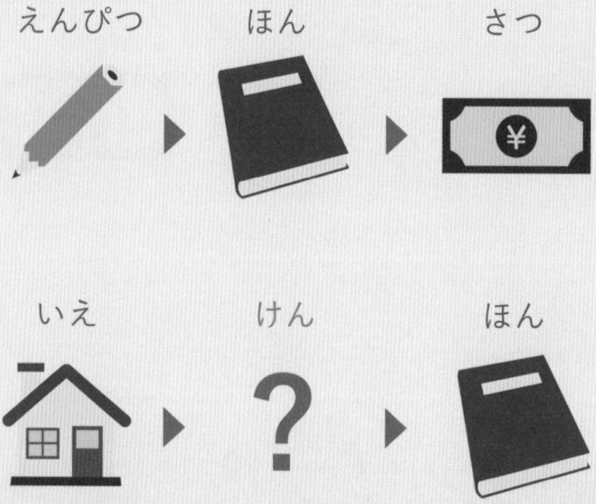

答え

けん

（剣）

HINT 053

就活……………………食堂

損保……………………外見

育①……………………時価

当確……………………先②

答え＝①②

答えの言葉は？

A47

解説

右の単語は、左の略語の略された部分を合わせてできる言葉になっている。その法則から推測すると、答えは①きゅう②じつ＝「きゅうじつ」となる。

就活《しゅうしょくかつどう》……………… 食堂《しょくどう》

損保《そんがいほけん》……………… 外見《がいけん》

育①《いくじきゅうか》……………… 時価《じか》

当確《とうせんかくじつ》……………… 先②《せんじつ》

答え＝①《きゅう》②《じつ》

答え

きゅうじつ

（休日）

Q48

問題

HINT 096

答えの言葉は？

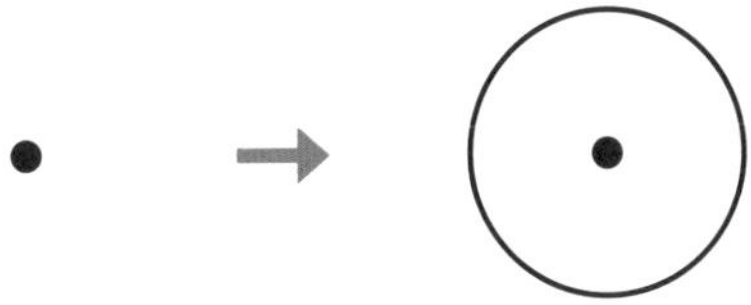

①さ

②③

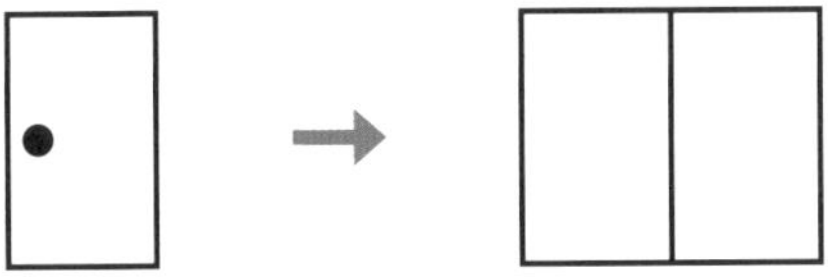

③あ

答え＝①②③

答えは次のページ

A48

解説

それぞれの図形は、あるものを「閉じたとき→開いたとき」を表している。従って上から傘、窓、ドアとなるので、数字に対応する文字を順に読んで、答えは「かまど」となる。

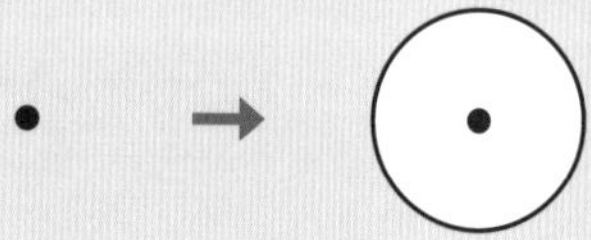

①《か》さ

②《ま》③《ど》

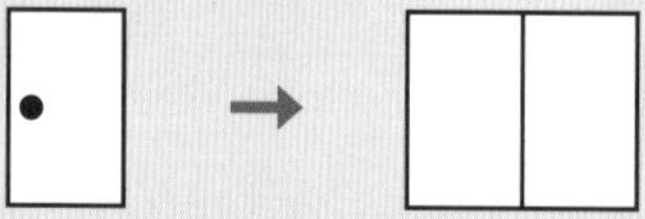

③《ど》あ

答え＝①《か》②《ま》③《ど》

答え

かまど

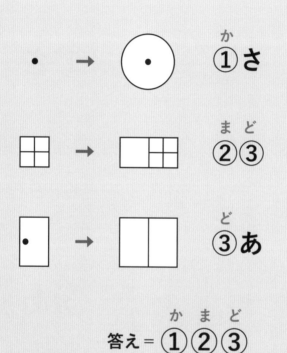

Q49

問題

HINT 038

「?」に入る言葉は?

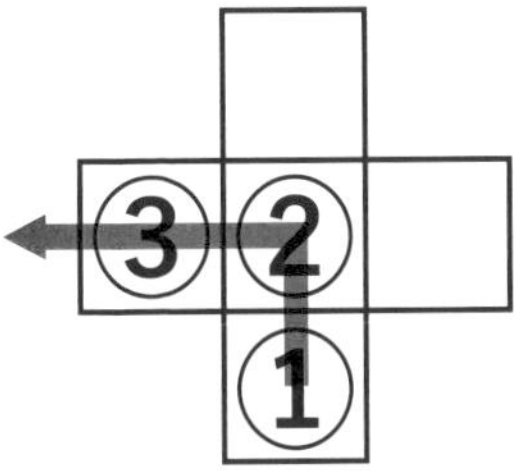

= しんり

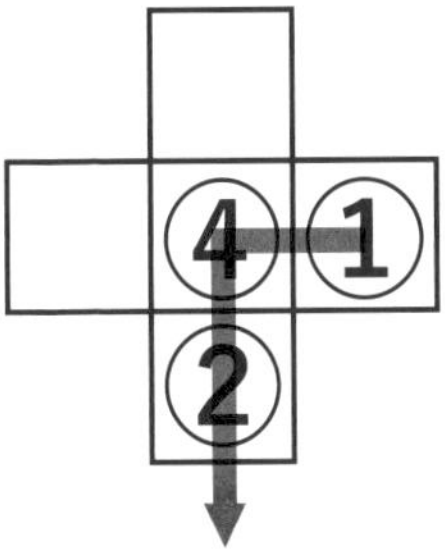

= みかた

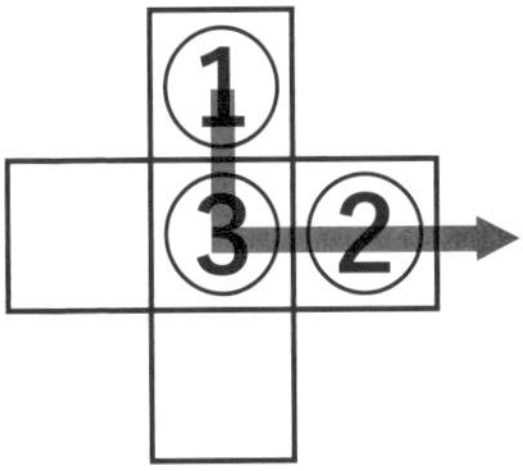

= ?

答えは次のページ

A49

解説

説明図のように、それぞれのマスに位置の名前を入れる。矢印に沿って、それぞれの数字が示す文字数番目の文字を読むと、答えは「うなぎ」となる。

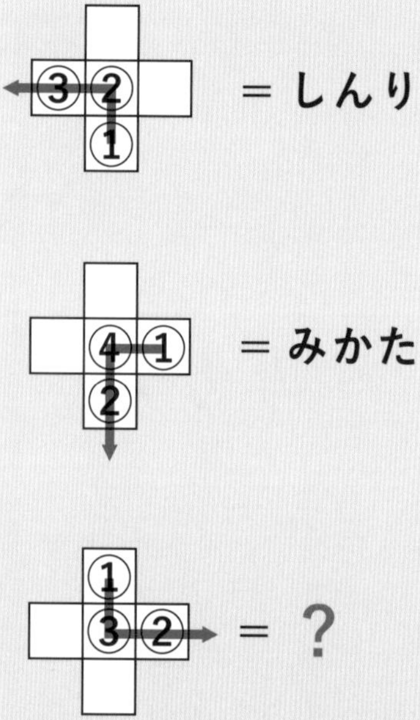

説明図

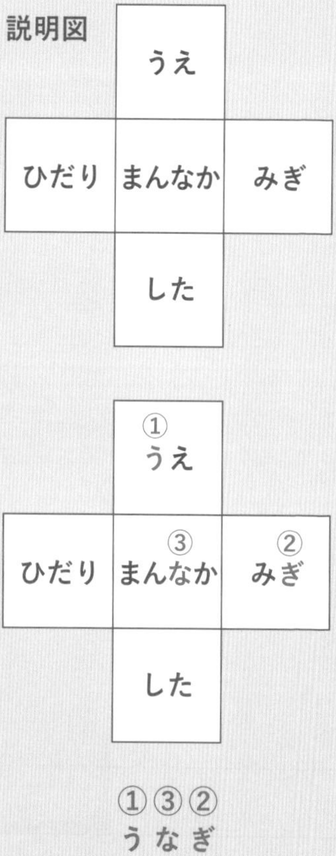

答え

うなぎ

金謎

難易度 ★★★★☆

Q50

問題

HINT

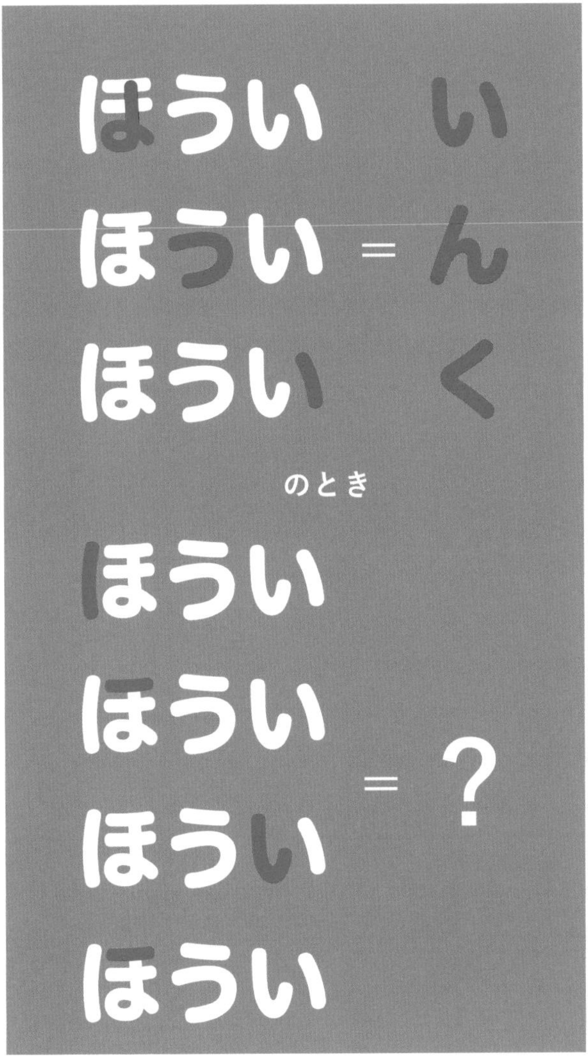

答えの言葉は？

上級編

答えは次のページ

A50

解説

ほうい（方位）とは、「東西南北」のこと。「ほうい」の書き順に従って赤くなっている部分の画数番目の文字を「とうざいなんぼく」から拾っていくと、答えは「とうぼう」となる。

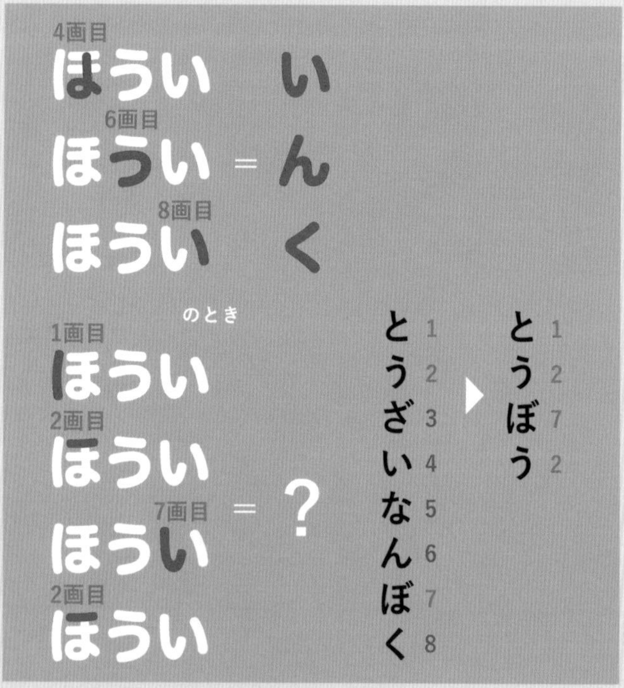

答え

とうぼう
（逃亡）

HINT 095

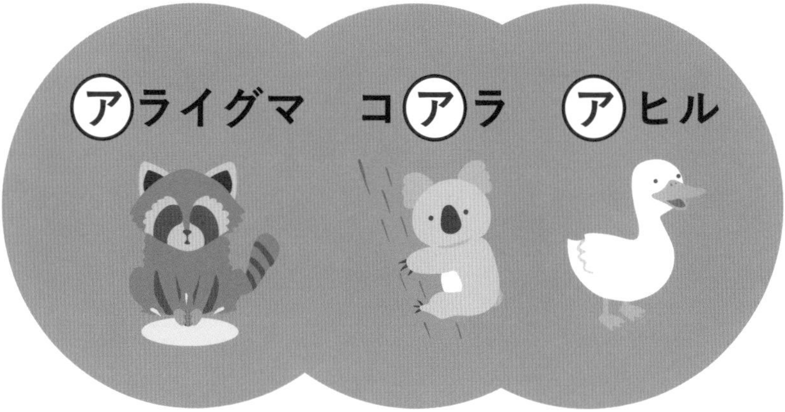

? の ?

「?」に入る言葉は?

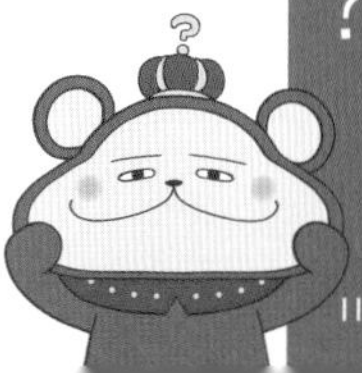

答えは次のページ

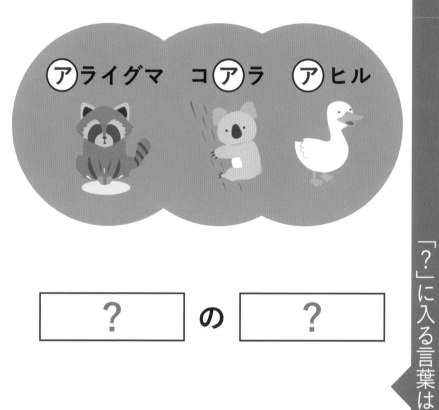

A51

解説

上のイラストはそれぞれの動物＝アニマルの名称の「あ」に、丸がつけられている状態。従って、空欄は「アニマルのアニマル（「あ」に丸）」と埋めることができる。

アニマル（動物） ［？］ の アニマル（アに○） ［？］

答え

アニマル

Q52

問題

HINT 112

「?」に入るひらがな2文字は?

の ひ

＋

ひ い

＋

?

＝

16000

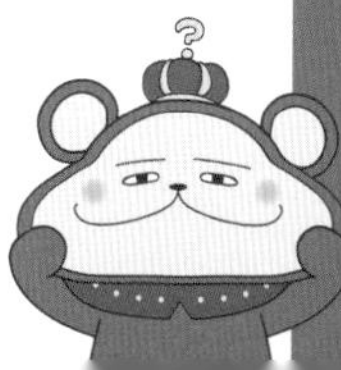

答えは次のページ

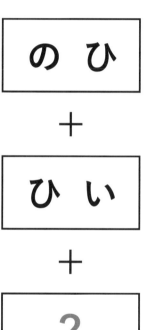

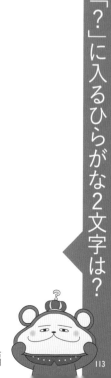

A52

解説

長方形はお札を表しており、文字はそこに描かれた偉人の頭文字を表している。従って「？」には福沢諭吉の頭文字「ふ　ゆ」が入る。

のぐちひでよ

1000円札　のひ

＋

ひぐちいちよう

5000円札　ひい

＋

ふくざわゆきち

10000円札　？

＝

16000

答え

ふゆ

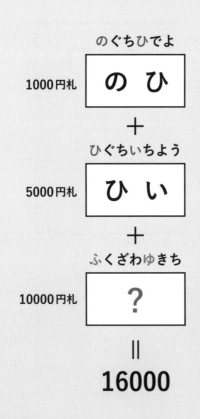

全謎

ヒント編

どうしても解けない場合に、該当するヒント番号を参照してください。

001　Q48 ヒント3
一番上の図形は、雨が降ったときに使うものです。

002　Q5 ヒント2
地球を示す「EARTH」の最初と最後の文字を取ると「ART」、心を示す「HEART」の両端の文字を取ると「EAR」になります。一番下のイラストは「MONEY」です。

003　Q13 ヒント2
時計にもラジオにも「AM」があります。それぞれ反対の意味の言葉を考えましょう。

004　Q42 ヒント1
記号には漢字が1文字ずつ入ります。同じ記号は同じ文字です。
▶さらなるヒントは042へ

005　Q50 ヒント2
「ほうい」とは方位、つまり「とうざいなんぼく」のことです。
▶さらなるヒントは122へ

006　Q19 ヒント1
各イラストを文字に変換してみましょう。どんな文字に変換するかが分かれば、法則が見えてきます。
▶さらなるヒントは059へ

007　Q4 ヒント2
青い矢印でつながれた文字は、「は」→「ひ」→「ふ」、赤い矢印でつながれた文字は「いち」→「じゅう」→→「せん」となっています。この法則に基づいて考えると、「み」の次に来る文字、「まん」の前の言葉が分かるでしょう。
▶さらなるヒントは103へ

008　Q47 ヒント3
左側の言葉は、それぞれ略語になっています。略す前の言葉に変換してみてください。

009　Q37 ヒント2
「よこ」に「ひをつける（点火する）」と「ひよこ」に、「いと」に「なをつける（命名する）」と「ナイト」になります。では、注意は「何をつける」と言い換えられるでしょう？

010　Q38 ヒント2
一番上のイラストは、あるものの先端です。

011　Q16 ヒント1
すべてのイラストや記号は、3文字のアルファベットになります。
▶さらなるヒントは105へ

012　Q46 ヒント3
えんぴつの数え方は「ほん」、本の数え方は「さつ」ですね。

013 Q31 ヒント1
左のカタカナは、カタカナとして読みません。▶さらなるヒントは035へ

014 Q41 ヒント1
横に並んだ2つと、縦に並んだ2つの関係を考える必要があります。縦に罫線を引くと分かりやすいかもしれません。▶さらなるヒントは055へ

015 Q13 ヒント1
時計とラジオに関する言葉で、共通するものはないでしょうか？
▶さらなるヒントは003へ

016 Q33 ヒント1
イラストはすべて、身につけるものです。▶さらなるヒントは109へ

017 Q32 ヒント1
オレンジ枠にはひらがな1文字が、緑枠にはひらがな3文字が入ります。
▶さらなるヒントは069へ

018 Q39 ヒント1
「私たち」「見る」を、別の言葉に変換しましょう。
▶さらなるヒントは043へ

019 Q34 ヒント1
A駅を通るオレンジの路線、B駅を通る赤の路線では必ず乗り換えをします。残りの1箇所の乗り換え駅を見つけましょう。▶さらなるヒントは045へ

020 Q1 ヒント1
絵の内容は関係ありません。
▶さらなるヒントは058へ

021 Q36 ヒント2
縦棒と丸はセットになっています。

022 Q43 ヒント1
まずはイラストを言葉に変換し、対応するマスに文字を入れていきましょう。▶さらなるヒントは097へ

023 Q45 ヒント3
それぞれの時刻は、ひらがなで書かれた時計の名前の何文字目を拾うかを示しています。

024 Q48 ヒント2
矢印の左は「開く前」、矢印の右は「開いた後」のものを示します。
▶さらなるヒントは001へ

025 Q25 ヒント2
イラストをすべて英語に置き換えてみましょう。法則が見つかるはずです。

026 Q44 ヒント3
2には「ン」が入ります。

HINT 027 ▶ 039

027 Q44 ヒント1
左はあるものの名前、右はそれが示すものの単位の名前が入ります。
▶さらなるヒントは041へ

028 Q5 ヒント1
左のイラストを英単語にして、右の英単語と見比べてください。
▶さらなるヒントは002へ

029 Q35 ヒント1
エニグマくんは、どこかの部屋にいるようです。周りで囲まれたものは……？
▶さらなるヒントは079へ

030 Q21 ヒント3
左の言葉はかなにするとどれも8文字で、矢印も8ブロックでできていることに注目してください。右の言葉と比べてみると……？

031 Q51 ヒント2
「ア」に○がついていますね。そして、これらのイラストに共通する言葉は？

032 Q10 ヒント1
それぞれのアルファベットはあるものの種類を表しています。
▶さらなるヒントは068へ

033 Q3 ヒント1
文章の流れを推測して、①②③に入る文字を特定してください。同じ数字には同じ文字が入ります。
▶さらなるヒントは071へ

034 Q45 ヒント2
それぞれの時計の時刻と、ひらがなで書かれた時計の名前を見比べましょう。
▶さらなるヒントは023へ

035 Q31 ヒント2
左のカタカナは、漢字の一部です。

036 Q20 ヒント1
文字の色には意味があります。
▶さらなるヒントは101へ

037 Q2 ヒント2
文字のサイズには「大・中・小」があります。▶さらなるヒントは106へ

038 Q49 ヒント1
十字になっているマスそれぞれに、位置関係を示す言葉が入ります。
▶さらなるヒントは051へ

039 Q28 ヒント2
＊＊には、「かけ」が入ります。

040 Q26 ヒント2
縦に伸びたアルファベットがそれぞれの行に1つずつ存在するものとして、各行を横にローマ字読みしてみましょう。文章になっているはずです。
▶さらなるヒントは121へ

041 Q44 ヒント2
単位は一番右の矢印の方向に大きくなっていきます。
▶さらなるヒントは026へ

042 Q42 ヒント2
一番上は「買い物」です。残り2つもイラストからイメージできる言葉を考えてみましょう。

043 Q39 ヒント2
「私たち」は「WE」に、「見る」は「SEE」に変換します。矢印と見比べて、法則を見つけてください。
▶さらなるヒントは089へ

044 Q21 ヒント1
左の言葉をすべてかなにしてみましょう。▶さらなるヒントは110へ

045 Q34 ヒント2
オレンジの路線につながる路線と、赤の路線につながる路線が交わる駅を探してください。
▶さらなるヒントは083へ

046 Q47 ヒント2
左側の言葉には、共通点があります。
▶さらなるヒントは008へ

047 Q26 ヒント1
横に罫線が引かれているのがポイントです。▶さらなるヒントは040へ

048 Q17 ヒント1
草が伸びたり、ロウソクが溶けると、赤い部分がどのように動くかを想像してください。▶さらなるヒントは066へ

049 Q25 ヒント1
イラストを言葉に変換します。その変換の仕方がポイントです。
▶さらなるヒントは025へ

050 Q8 ヒント1
左側には漢字が、右側にはその読みがなが入ります。同じ色のマスには同じ文字が入ります。
▶さらなるヒントは114へ

051 Q49 ヒント2
十字になっているマスの真ん中に「まんなか」、上下に「うえ」「した」、左右に「ひだり」「みぎ」が入るとして、数字との関係を考えてみましょう。

HINT 052 ▶ 065

052 Q14 ヒント3
枠で囲まれた部分にはそれぞれ1つの文字が対応します。左から読んでみましょう。

053 Q47 ヒント1
右の漢字をすべてひらがなに変換してみましょう。▶さらなるヒントは046へ

054 Q22 ヒント2
縦長の白い枠は、7つあります。それぞれのイラストの言葉を矢印通りに当てはめると……？

055 Q41 ヒント2
イラストをすべて漢字1文字に変換しましょう。
▶さらなるヒントは116へ

056 Q2 ヒント1
左の文字の大きさに注目してみましょう。▶さらなるヒントは037へ

057 Q30 ヒント2
図形は、前から見た車を表しています。どんな車でしょう？

058 Q1 ヒント2
壁を数字に合わせて5つに区切ると分かりやすいでしょう。
▶さらなるヒントは099へ

059 Q19 ヒント2
各イラストを漢字1文字に変換してみてください。各行の左右の違いに、何か法則はないでしょうか。

060 Q14 ヒント2
それぞれの英単語を2文字の日本語にしてみましょう。
▶さらなるヒントは052へ

061 Q3 ヒント3
①②③に文字を入れると「答えはよすみの言葉」となります。四隅とはどこを示すでしょう？

062 Q24 ヒント1
まずは●＝「お」、■＝「に」として、空欄に埋めましょう。
▶さらなるヒントは092へ

063 Q38 ヒント1
イラストは、それぞれ使う前・使ったときのものの形を表しています。
▶さらなるヒントは010へ

064 Q8 ヒント3
「白」のパーツが入り、「イ」から始まる漢字は「泉」です。つまり赤のマスに入るのは……？

065 Q36 ヒント1
横に並んだ4つの言葉には、ある法則があります。▶さらなるヒントは021へ

066 Q17 ヒント2
草が伸びると、赤い部分が持ち上がります。ロウソクが溶けると、赤い部分が下がります。

067 Q27 ヒント1
図形は、あるスポーツに関係したものです。▶さらなるヒントは094へ

068 Q10 ヒント2
アルファベットが表しているのは、色の名前です。

069 Q32 ヒント2
今は「れ□わ」です。

070 Q23 ヒント1
左の図形は、どこかで目にしたことがあると思います。
▶さらなるヒントは100へ

071 Q3 ヒント2
①＝よ、です。②③が分かったら、数字順に文字を読みましょう。
▶さらなるヒントは061へ

072 Q22 ヒント1
イラストは「ミソ」と「ソファ」です。
▶さらなるヒントは054へ

073 Q46 ヒント1
イラストをすべてひらがなにして考えてみましょう。
▶さらなるヒントは082へ

074 Q12 ヒント1
それぞれの行は「時間の経過」を表しています。▶さらなるヒントは093へ

075 Q29 ヒント1
「ツ」「チ」「ノ」「コ」の文字が、各ブロックにあります。3・3・1・2という数字との関連を考えてみましょう。
▶さらなるヒントは080へ

076 Q52 ヒント2
四角は、日本のお札を表しています。では、ひらがなは何でしょう？
▶さらなるヒントは086へ

077 Q40 ヒント1
「食器の1つ」は刺すもの、「足に履くもの」は英語です。
▶さらなるヒントは091へ

078 Q9 ヒント2
イラストを英語に変換してみてください。

079 Q35 ヒント2
左右には「かべ」が入ります。

080 Q29 ヒント2

数字は、それぞれのブロックから読むべき文字の画数を表しています。

081 Q45 ヒント1

それぞれの時計の時刻に注目してください。▶さらなるヒントは034へ

082 Q46 ヒント2

「えんぴつ」と「ほん」、「ほん」と「さつ」の関係を考えてみてください。

▶さらなるヒントは012へ

083 Q34 ヒント3

乗り換え駅は図の3箇所です。ルート上の文字を読むと「といたもののいをとにしろ（解いたものの「い」を「と」にしろ）」。あなたが解いたものは何でしょうか？

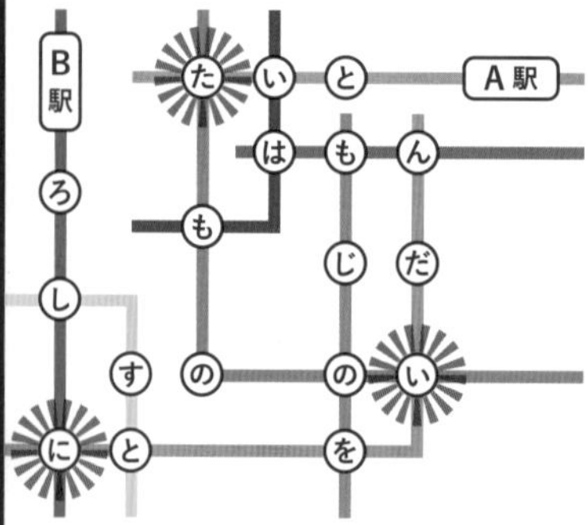

084 Q7 ヒント1

空欄には、羽根をそれぞれのイラストと合わせたときのものの名前が入ります。

▶さらなるヒントは098へ

085 Q4 ヒント1

青い矢印と赤い矢印は、それぞれ法則が違います。矢印の前後の言葉を見比べてみてください。

▶さらなるヒントは007へ

086 Q52 ヒント3

ひらがなは、お札に描かれた偉人の頭文字を表しています。

087 Q9 ヒント1

右のイラストをどちらも同じ読み方になるような言葉に変換してみましょう。

▶さらなるヒントは078へ

088 Q11 ヒント1

よく見ると、いくつかの輪を組み合わせた図になっています。

▶さらなるヒントは118へ

089 Q39 ヒント3

図の中の4つの丸は方角を示しています。

090 Q18 ヒント1

上はご飯を食べる前、下は食べた後のイラストです。

▶さらなるヒントは120へ

091 Q40 ヒント2
「十二星座の1つ」はズバリ「さそり」、春の植物には「うめ」が入ります。

092 Q24 ヒント2
上の図は何を表す樹形図でしょうか？枠の色に注目してください。

093 Q12 ヒント2
①には「ほ」が入ります。

094 Q27 ヒント2
マス目と点は、野球の各ベースを表しています。

095 Q51 ヒント1
すべての「ア」がどうなっているでしょう？▶さらなるヒントは031へ

096 Q48 ヒント1
矢印でつながれたイラストは、同じものを表しています。
▶さらなるヒントは024へ

097 Q43 ヒント2
上に並ぶマスは、順番に並んでいるものの一部を表しています。

098 Q7 ヒント2
上は主に夏に使うもの、真ん中は台所にあるもの、下は家の外側にあるものです。

099 Q1 ヒント3
絵ではなく壁を見ると、文字が浮かび上がるはずです。

100 Q23 ヒント2
左の図形は、オーディオ機器などのボタンに見られるものです。それぞれの機能を考えてみてください。

101 Q20 ヒント2
それぞれの文字の色で、「○クラ」という名前のものを探してみましょう。

102 Q37 ヒント1
イラストは「ひよこ」と「ナイト」を示しています。矢印の前の言葉と比べてみてください。
▶さらなるヒントは009へ

103 Q4 ヒント3
青い矢印は五十音で1つ次の文字、赤い矢印は数字の次の桁の単位になります。

104 Q28 ヒント1
それぞれの＊＊には、意味が違う共通した文字が入ります。
▶さらなるヒントは039へ

105 Q16 ヒント2
行ごとに、変換したアルファベット同士をよく見比べてください。

HINT 106 ▶ 119

106　Q2 ヒント3
大（だい）の「す」→ダイス、中（ちゅう）の「しゃ」→注射です。

107　Q14 ヒント1
それぞれのアルファベットを横に読むと、英単語になっています。
▶さらなるヒントは060へ

108　Q15 ヒント1
「力」を音符と考えたときに、それぞれの音階はどうなるでしょうか？
▶さらなるヒントは117へ

109　Q33 ヒント2
一番下のイラストは、一番上のイラストの代わりになるものです。

110　Q21 ヒント2
よく見ると、矢印の形に違いがあります。
▶さらなるヒントは030へ

111　Q50 ヒント1
「ほうい」の意味を考えてみてください。▶さらなるヒントは005へ

112　Q52 ヒント1
四角は、身近にあるものを表しています。▶さらなるヒントは076へ

113　Q6 ヒント2
「いえ」と「そち」の間を通る矢印の先が「うた」になっています。では、「ぬの」と「けさ」の間を通る矢印の先は何になるでしょう？

114　Q8 ヒント2
「白」のパーツが入り、「イ」から始まる漢字は何でしょう？
▶さらなるヒントは064へ

115　Q30 ヒント1
図形は、日本のあらゆる場所で見かけるものです。
▶さらなるヒントは057へ

116　Q41 ヒント3
石が1、鳥と？が2……と順番に並んでいます。

117　Q15 ヒント2
「力」は漢字で、「りょく」と読みます。

118　Q11 ヒント2
足りない線を引いて、それぞれ輪を完成させてみましょう。

119　Q6 ヒント1
漢字をそれぞれかなにしてみましょう。
▶さらなるヒントは113へ

120　Q18 ヒント2
食べる前と食べた後に、何か言うことはないでしょうか？

121　Q26 ヒント3
「サメ」「サケ」「イサキ」の共通点は？

122　Q50 ヒント3
「ほうい」で赤くなっている部分は、それぞれ何画目でしょうか？

エニグマくんLINE

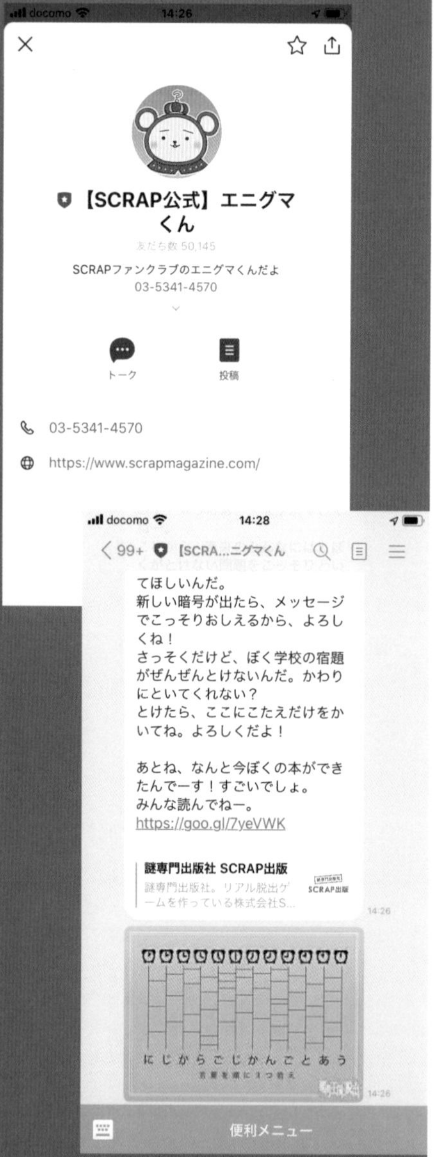

LINEで
エニグマくんと
友だちになると、
この本のような謎が
毎週送られてくるよ！

スマホで
LINEアプリを起動して、
［その他］タブの
［友だち追加］で
QRコードをスキャンします。

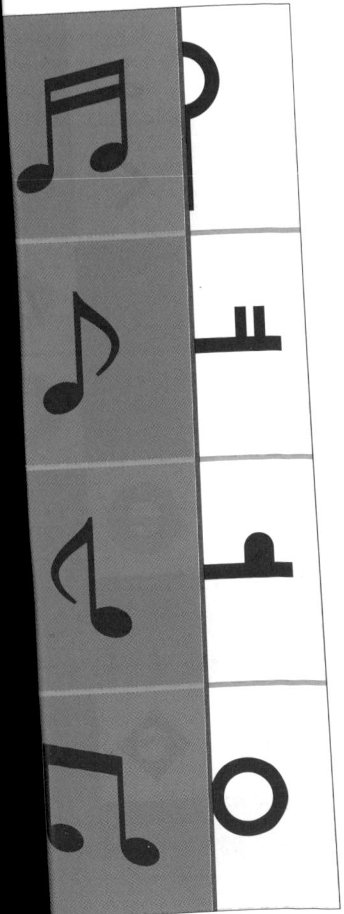

SCRAP 金謎

2020年7月15日 初版第1刷発行

著者：SCRAP
発行人：加藤隆生
編集人：大塚正美

監修：加藤隆生(SCRAP) 安岡潤也(SCRAP)
パズル制作：青沼隼人 稲村祐汰 久留島隆史(SCRAP)
櫻井知得 たろー 西山 温 原 翔馬 藤沢潤平
キャラクターデザイン：榊原杏奈(SCRAP)
デザイン：鈴木 恵(細工場)
校閲：佐藤ひかり
協力：石川義昭 岩田雅也 笠倉洋一郎 永田史泰
営業：佐古田智仁(SCRAP)
宣伝：坪内秋帆(SCRAP)
担当編集：大塚正美(SCRAP)

発行所：SCRAP出版
〒151-0051 東京都渋谷区千駄ヶ谷5-20-4 株式会社SCRAP
tel. 03-5341-4570 fax. 03-5341-4916
e-mail. shuppan@scrapmagazine.com
URL. https://scrapshuppan.com

印刷・製本所：株式会社シナノパブリッシングプレス

 Printed in Japan ISBN978-4-909474-36-0

最終問題

金謎

最後まで問題を解いてきたキミのために、最終問題を用意したよ！ まずはエニグマくんLINEで「金謎ラスト」と送信しよう！

ループ迷路からの脱出

A

特別な決意 ---- - ▶ ？

B

セ	レ
サ	ホ

ノ	モ
ガ	ン

ス	ネ
オ	ヘ

２２２＝？

C

はとどけい　ふりこどけい　うでどけい

＝？